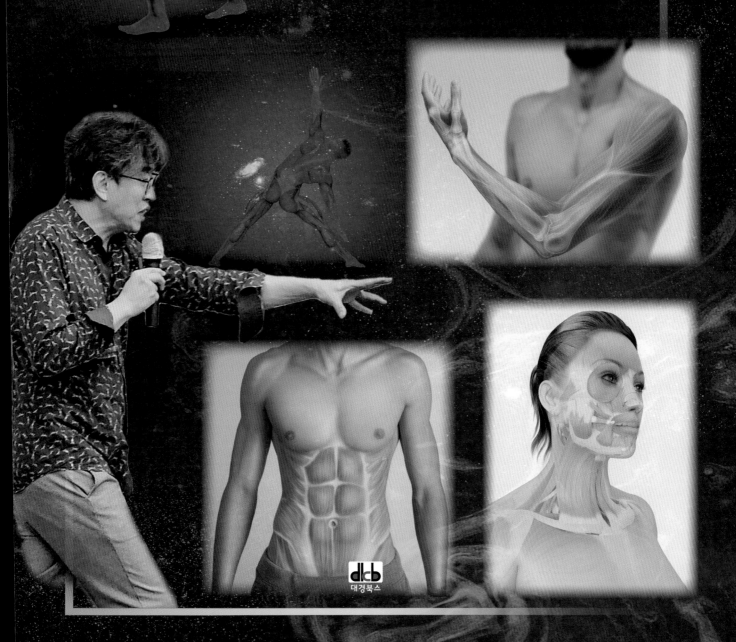

신원범 교수 Healer의 비밀수첩

재활 근육학

신원범 저

대경북스

건국대학교 공학박사
전 단국대학교 문화예술대학원 외래교수
   경기대학교 대체의학대학원 외래교수
현 수성대학교 재활과 외래교수
   원광디지털대학교 태권도스포츠재활학과 외래교수
   원광디지털대학교 한방미용예술학과 외래교수
   건국대학교 화장품공학과 산학겸임교수
   건국대학교 산업대학원 이미지산업학과 겸임교수
   100억샵 아카데미 대표
   Edu up 아카데미 대표
   대한민국 1호 미용응용실전해부학 교수
   대한민국 1호 근육경락통합수기치료 교수

저자 신 원 범

신원범 교수 Healer의 비밀수첩

재활 근육학

1판 1쇄 인쇄 2023년 1월 17일
1판 1쇄 발행 2023년 1월 20일

발행인 김영대
편집디자인 임나영
펴낸 곳 대경북스
등록번호 제 1-1003호
주소 서울시 강동구 천중로42길 45(길동 379-15) 2F
전화 (02)485-1988, 485-2586~87
팩스 (02)485-1488
홈페이지 http://www.dkbooks.co.kr
e-mail dkbooks@chol.com

ISBN 978-89-5676-941-7

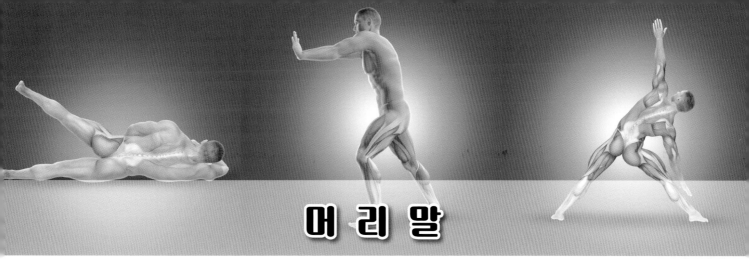

머리말

어느덧 삶에서 공부를 목적으로 살았던 시간보다는 몸과 마음이 불편한 분들과 보낸 시간이 더 많은 저자이다. 그러한 제가 여러 대학을 졸업하고, 특히 물리치료학과 피부미용학과의 전공과목 중 수기요법과 재활이라는 부분에 좀 더 집중하며 보낸 것 같다.

수기라는 단어 속에 숨어 있는 치료라는 단어에 멈칫거리며 공부를 하지만 항상 근육학을 정리하고 경락을 정리하고 통증을 정리하면 1% 부족한 느낌이 들어 가슴만 답답하곤 했다.

그 1%는 근육 하나하나의 개별적 기능을 재활하는 방법이었고, 그간 임상에서는 소수의 직업층에 맞게 정의 내려진 부분이었다.

하나의 근육을 정확히 테스트하고 그 근육의 근본적 특징을 이해한다면 통증에 대한 접근이 훨씬 수월할 것이라는 생각으로 오랜 시간 고민에 고민을 거듭하였다. 이 책은 그렇게 오랜 고민을 한 끝에 재활을 위해 쓰인 책이다. 재활이란 통증이나 일시적 질환이나 외상 등으로 인해 삶의 질이 떨어질 때 회복시키기 위한 모든 치료를 뜻하며, 약물이나 수술적 용법을 주로 사용하는 것이 아니라 신체 기능을 회복시키고 유지시키기 위해 물리적 자극을 이용하여 치료하는 것을 의미한다.

본서를 저술하며 느낀 것은 20살 물리치료를 전공하고, 40살이 넘어서 피부미용을 다시 전공하고, 52살에 박사학위를 받으면서 세상에 공짜로 저절로 이루어지는 것은 없다는 것이다. 또, 세상은 꿈을 꾸고 실행해야 얻어진다는 논리를 임상 35년이 흐르는 지금 다시 느끼게 된다.

그동안 해부학실에서 보냈던 400여 시간과 공부를 통해, 그리고 30년이 넘게 한 명 한 명의 고객을 내 손으로 직접관리하며 통증의 양상과 질환의 예후를 지켜보면서 인체의 통증 지도를 다시 그리고, 개별근육의 기능과 치료패턴을 새롭게 정립하게 되었다.

또한 대학과 대학원에서 오랜 시간 근육학·수기학·경락학·해부생리학을 학생들에게 가르치면서 그것을 기초로 다시 인체를 거꾸로 그려가며 고객의 요구에 응답할 방법을 찾게 되었다.

오직 손을 통해 사람을 살리는 기술을 연마하기 위하여 전국의 수기요법 전문가들을 찾아다니고 또 일본의 전문가들도 여러 번 만나면서, 확실한 답은 직접 경험하는 것밖에 없다는 결론을 얻게 되었다.

그 사이 가르친 수 만 명의 제자들과 함께 치료방법을 의논하고 사람을 살리는 작은 기술들을 정리하면서 얻은 결론은 치료는 바로 근육에 대한 바른 이해와 재활에서 시작된다는 것이다. 그리고 그 근육의 재활적 관리가 철저히 이해되는 부분에서부터 시작이 필요하다는 것이다.

연 순수익 1억을 벌 수 있게 100명에게 도움을 드리고자 시작한 100억샵이 어느덧 10년의 시간이 흐르고 많은 분들의 배움이 터전이 된 100억샵 강의장과 전국과 세계 곳곳에서 이 직업을 업으로 하시는 분들이 이 책을 통해 본인의 직업적 논리가 확고하게 자리 잡히기를 바라본다.

본서를 고객과 만나는 임상현장에서 가장 가까운 곳에 두고 수시로 참고한다면 보다 수월하게 고객 관리를 할 수 있을 것이라 생각한다. 그동안 전국에서 강의를 들었던 분들과 유튜브를 통해 강의를 시청하신 모든 분들 앞에 길잡이와 같은 실용서를 내놓게 되어서 마음의 짐을 조금이나마 덜 수 있게 되어 기쁘다.

끝으로 35년 간 임상전문가로 살아가면서 물리치료사의 길을 접고 피부미용학과의 교수로, 또 대체의학대학원의 교수로 살아갈 수 있도록 도와주신 많은 분들께 감사드리고, 언제나 필자만 바라보고 묵묵히 따라와 준 '100억샵'의 모든 회원분들께도 감사의 마음을 전한다.

더불어 100억샵의 회원들이 내는 작은 소리도 들어주고 함께 해주시는 홍지유 교수님께 더 깊은 감사를 드린다. 또한 필자의 의지와 뜻을 받아들여 본서의 출간을 도와주신 대경북스 박용민 부장님께 진심으로 감사드리며, 모델로 참여해주신 김상원, 서현덕 원장님께 진심으로 감사드립니다. 마지막으로 이렇게 글쓰는 법을 가르쳐주신 고등학교 은사님이신 유채준 선생님께 감사드립니다. 오래오래 건강하시길 기원합니다.

지금 당신이 가는 길이 힘들고 어렵다면 멈추지 말고 계속 가시기를 권합니다.

그 길이 답입니다.

꼭 성공하십시오!!

2023년 1월 눈내리는 겨울날 저자 신원범 씀

차 례

우리 몸의 근육

10

근육의 개관

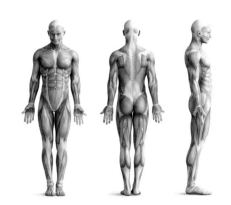

근육과 인체의 움직임
Muscle & human motion

근육은 근육힘살, 힘줄, 널힘줄, 그리고 근막으로 구성되어 있고, 인체 모든 움직임의 기초가 된다. 인체에는 다음과 같은 움직임이 있다.

- 걷기와 같은 팔다리의 움직임
- 몸의 각 부위로 혈액을 보내는 심장박동
- 여러 방향을 보는 안구운동
- 음식물이 입에서 항문까지 이동할 수 있게 해주는 위창자관의 수축
- 여러 가지 표정을 만들어내는 얼굴근육의 움직임
- 공기가 허파 속을 드나들 수 있게 하는 호흡운동

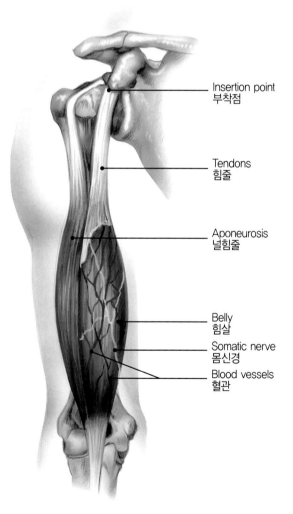

Insertion point
부착점

Tendons
힘줄

Aponeurosis
널힘줄

Belly
힘살

Somatic nerve
몸신경

Blood vessels
혈관

인체에 있는 근육은 다음과 같은 특징에 기초하여 종류를 나눈다.

- 자신의 의지에 따라서 통제되는가?(맘대로근 vs 제대로근)
- 현미경으로 보면 줄무늬가 있는가?(가로무늬근육 vs 민무늬근육)
- 몸의 벽과 팔·다리에 있는가 아니면 내장에 있는가?(몸근육 vs 내장근육)

위의 3가지 특징에 따라 인체의 근육을 분류하면 뼈대가로무늬근육, 심장가로무늬근육, 민무늬근육
으로 대별된다.

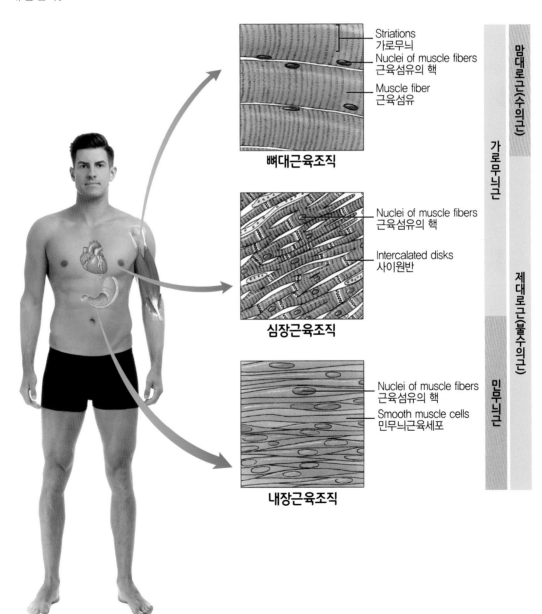

Striations
가로무늬
Nuclei of muscle fibers
근육섬유의 핵
Muscle fiber
근육섬유

뼈대근육조직

Nuclei of muscle fibers
근육섬유의 핵

Intercalated disks
사이원반

심장근육조직

Nuclei of muscle fibers
근육섬유의 핵
Smooth muscle cells
민무늬근육세포

내장근육조직

맘대로근(수의근)

가로무늬근

제대로근(불수의근)

민무늬근

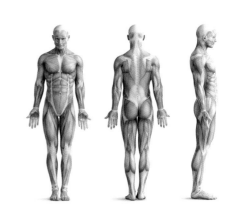

2.

근육의 분류
Classification of muscle

근육은 수축성을 가지고 있으며, 아래와 같이 분류한다.

뼈대근육은 뼈와 뼈 사이에 붙어 있으며 관절운동 시에 필요하다. 그중 가운데귀 속에 있는 귀속뼈의 근육은 예외로 제대로근(불수의근)이다.

이 책에서는 뼈대근육 위주로 설명한다.

가로무늬근 (가로무늬가 있는 근육)	뼈대근육	맘대로근 (의식적으로 운동을 할 수 있는 근육 ; 몸신경계통)
	심장근육 (심장벽의 근육)	제대로근 (의식적으로 운동을 할 수 없는 근육 ; 자율신경)
민무늬근 (가로무늬가 없는 근육)	내장근육 (소화관, 내장의 근육, 혈관벽)	

뼈대근육의 부위와 시작·정지점

뼈대근육은 일반적으로 방추모양(원기둥꼴의 양쪽 끝이 뾰족한 모양)이며, 2개 이상의 뼈에 붙어 있다. 뼈대근육의 기능을 알기 위해서는 그 부착점(insertion)을 공부하는 것이 중요하다.

뼈대근육의 중앙부분을 힘살(belly, 근복)이라고 한다. 근육(근막)은 힘줄 및 널힘줄(건막)로 이행되며, 양끝의 부착점을 각각 시작점(origin) · 정지점이라고 한다. 일반적으로는 근육의 양끝 중에서 고정되어 있거나 움직임이 적은 부착점을 시작점이라 하고, 움직임이 큰 부착점을 정지점이라고 한다.

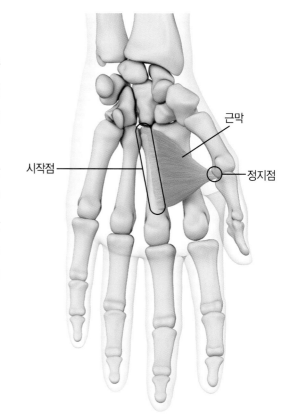

근막

시작점

정지점

근육섬유의 유형

근육섬유는 크게 두 종류로 나누어진다.

- **Ⅰ형섬유(적색근ㆍ서근)** – 유산소(산소를 필요로 하는)대사가 활발하며, 수축이 느리다. 마이오글로빈ㆍ미토콘드리아를 포함하며, 빨갛게 보인다.
- **Ⅱ형섬유(백색근ㆍ속근)** – 무산소(산소를 필요로 하지 않는)대사가 활발하며, 수축이 빠르다. 마이오글로빈함량이 적어 하얗게 보인다.

관절근육

사람의 근육(뼈대근육)은 관절에 걸쳐져 복수의 뼈에 부착되어 있다. 기능해부학적으로는 1개의 관절에 걸쳐 있는 근육을 단일관절(simple articulation)근이라 하고, 복수의 관절에 걸쳐 있는 근육을 다관절(polyarticular)근이라고 한다.

- **단일관절근** – 1개의 관절에 부착된 근육
- **다관절근** – 복수의 관절에 부착된 근육

근육의 특징

근육의 특징은 다음 4가지이다.

- **수축성** – 세포의 길이를 단축시킨다.
- **흥분성** – 자극에 대하여 반응한다.
- **신전성** – 정지 때보다 끌어당겨져도 수축한다.
- **탄력성** – 수축 후에 원래길이로 돌아온다.

근육의 기능

근육의 기능은 다음 5가지이다.

- **뼈대의 운동** – 근수축에 의하여 힘줄을 잡아당기고 뼈대를 움직인다.
- **자세유지** – 근수축에 의하여 자세를 유지한다.
- **연부조직의 지지** – 배근육 등과 같은 판모양의 뼈대근육은 내장을 지지하고 그것을 보호한다.
- **체온유지** – 근수축으로 인한 에너지의 일부는 열이 된다.
- **기관계의 출입문 개폐** – 삼키기(연하)ㆍ배변ㆍ배뇨 등과 같은 맘대로운동을 한다.

뼈대근육의 미세구조
Microstructure of skeletal musc

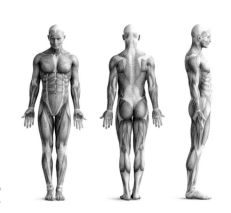

뼈대근육의 구조

뼈대근육은 뼈에 부착되어 움직임을 제어하는 근육이다. 체중의 약 40%를 차지하며, 가로무늬근육이다. 참고로 사람의 뼈대근육은 단면적 1cm²당 3~4kg의 장력이 있다고 한다.

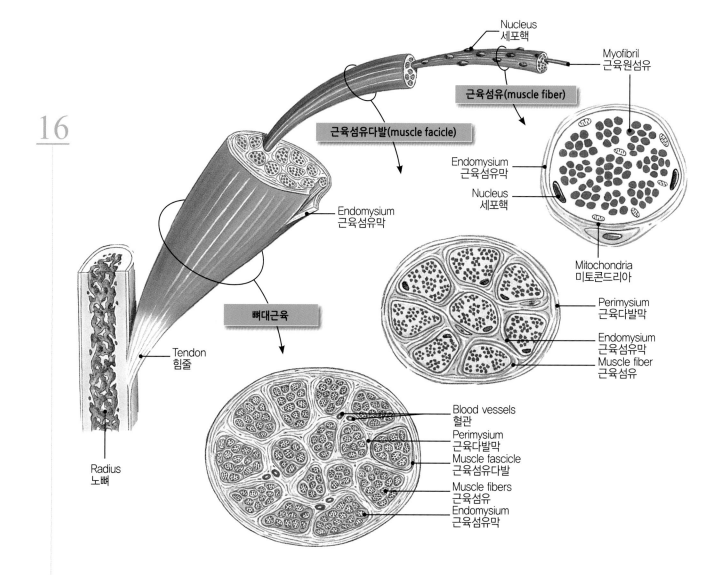

Nucleus
세포핵

Myofibril
근육원섬유

근육섬유(muscle fiber)

근육섬유다발(muscle facicle)

Endomysium
근육섬유막

Nucleus
세포핵

Mitochondria
미토콘드리아

Perimysium
근육다발막

Endomysium
근육섬유막

Muscle fiber
근육섬유

Endomysium
근육섬유막

뼈대근육

Tendon
힘줄

Radius
노뼈

Blood vessels
혈관

Perimysium
근육다발막

Muscle fascicle
근육섬유다발

Muscle fibers
근육섬유

Endomysium
근육섬유막

뼈대근육은 근막이라는 튼튼한 결합조직으로 둘러싸여 있고, 그 안에 근육섬유다발이 몇 가닥부터 몇 십 가닥이 들어 있다. 근육섬유다발은 근육섬유의 집합으로, 조금 두꺼운 결합조직인 근육다발막으로 둘러싸여 있다. 이 근육섬유는 체내에서 가장 큰 다핵세포이며, 근육섬유를 구성하고 있는 것은 수백~수천의 근육원섬유이다. 근육원섬유의 주요성분은 액틴과 마이오신이라는 단백질인데, 이것들은 섬유모양의 필라멘트를 구성한다. 근수축은 마이오신필라멘트 사이로 액틴필라멘트가 흘러들어가 이루어진다. 이것을 '활주설'이라고 한다.

정리하면 '뼈대근육 → 근육섬유다발 → 근육섬유 → 근육원섬유'가 된다.

- 근육은 복수의 근육섬유다발로 구성되어 있다.
- 근육섬유다발은 근육섬유(근육세포)의 집합이다.
- 복수의 근육원섬유가 묶여 근육섬유를 형성한다.
- 근육원섬유는 액틴단백질과 마이오신단백질로 구성된다.

뼈대근육의 보조장치

근육은 자신의 기능을 원활하게 수행하기 위하여 다음과 같은 보조장치를 가지고 있다.

- **힘줄** – 근육의 장력을 뼈로 전달할 때 사용하는 강인한 섬유결합조직이다.
- **근막** – 근육의 표면 및 근육군 전체를 감싼 결합조직성 피막으로, 근육을 보호하고, 수축할 때에 이웃한 근육 사이에 마찰이 일어나지 않도록 잘 미끄러지게 한다.
- **근육바깥막(근외막)** – 근육의 표면을 감싼 결합조직성 피막으로, 근육을 보호하고 수축할 때 이웃한 근육 사이에 마찰이 일어나지 않도록 잘 미끄러지게 한다.
- **지지띠** – 힘줄이 붕 뜨는 것을 막는 역할을 한다.
- **윤활주머니** – 윤활액이 들어 있는 주머니로, 근육 및 힘줄이 딱딱한 부분과 접할 때 그 부위의 마찰을 경감시키고 움직임을 원활하게 한다.
- **힘줄집(건초)** – 힘줄 주위를 둘러싸고 있으며, 가장 안쪽에 있는 윤활막은 윤활액을 분비하여 잘 미끄러지게 한다.
- **얇은근막(천근막)** – 성긴(소성)결합조직(섬유의 양이 비교적 적은 조직)으로 피부밑근막이라고도 불리며, 진피의 바로 밑에 있고, 몸 전체를 뒤덮고 있다. 지방세포·피부의 혈관·신경 등을 포함한다.
- **깊은근막(심근막)** – 근육군의 표면을 감싼 치밀결합조직(섬유의 양이 많은 조직)으로, 근막보다도 몸의 깊은부위에 있는 근막을 총칭하여 깊은 근막이라고 한다.

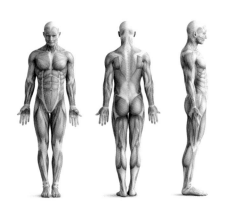

4.

뼈대근육의 기능과 분류
Function and classification of skel

뼈대근육(골격근)은 직접적 또는 간접적으로 뼈에 부착되어 있고, 수축과 이완을 반복하면서 다음 5가지 기능을 수행한다.

- 뼈대근육이 수축함으로써 국소적인 움직임 또는 전체적인 움직임이 일어난다(운동).
- 뼈대근육이 수축함으로써 관절을 안정적으로 움직일 수 있도록 지탱하며, 자세를 유지하도록 돕는다(자세유지).
- 배벽과 골반바닥에 있는 뼈대근육층은 내장기관의 무게를 지지하고, 상해로부터 내부조직을 보호한다(지지 및 보호).
- 식도와 항문, 방광과 요도의 출구에 있는 뼈대근육은 삼킴, 배변, 배뇨를 수의적으로 조절한다(물질이동의 조절).
- 근육조직이 수축하면서 생산되는 열은 정상적인 체온유지에 이용된다(열생산).

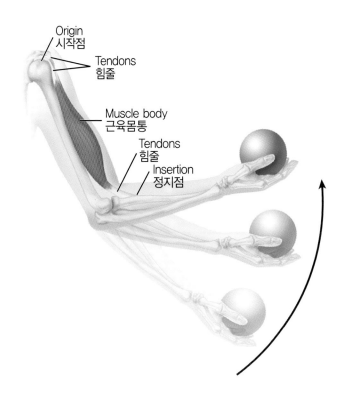

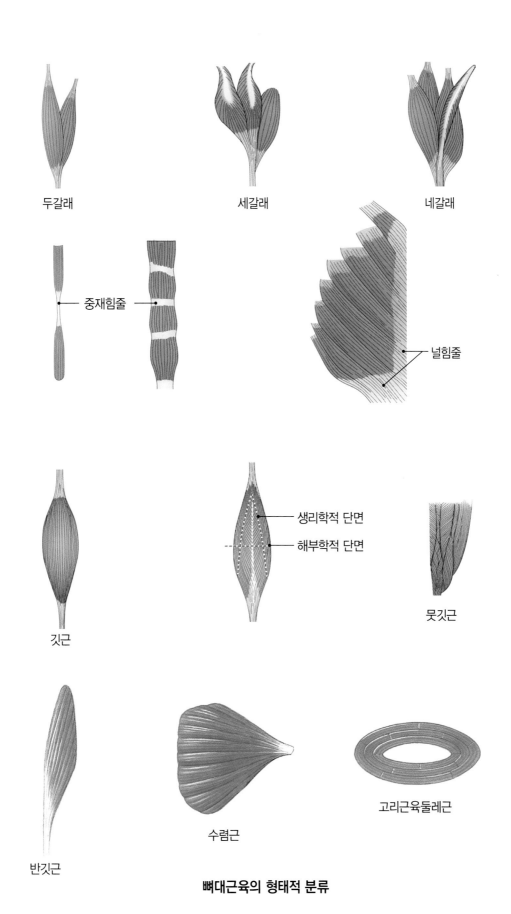

두갈래

세갈래

네갈래

중재힘줄

널힘줄

생리학적 단면

해부학적 단면

뭇깃근

깃근

반깃근

수렴근

고리근육둘레근

뼈대근육의 형태적 분류

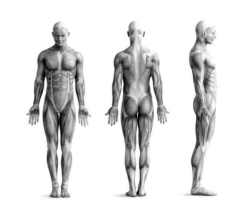

뼈대근육의 역할
Role of skeletal muscle

하나의 운동을 수행하려면 여러 근육이 수축해야 하는데, 이때 그 역할에 따라 다음과 같이 분류한다.

- **주작용근/주동작근**/prime mover, agonist……특정운동을 수행할 때 주된 작용을 하는 근육이다. 주작용근이 1개 이상인 운동도 있다.
- **고정근**/fixator……운동이 팔다리의 먼쪽 부위에서 일어날 때 몸쪽 부위를 고정시키는 근육이다.
- **협동근/협력근**/synergist……특정운동을 수행할 때 주된 작용을 하는 근육을 도와서 운동을 보조하는 근육이다. 1개의 주작용근에 대해서 여러 개의 협동근이 있을 수 있다.
- **대항근/길항근**/antagonist……주작용근의 운동에 반대로 작용하는 근육을 일차대항근(primary antagonist)이라 하고, 협력근의 운동에 반대로 작용하는 근육을 이차대항근(secondary antagonist)라고 한다. 대항근이 있기 때문에 운동이 부드럽게 이루어진다.

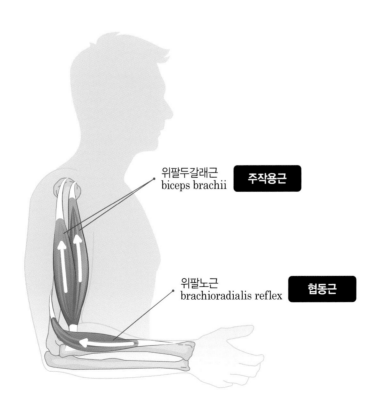

위팔두갈래근
biceps brachii **주작용근**

위팔노근
brachioradialis reflex **협동근**

6.

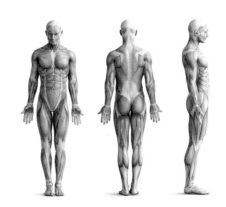

근막
Fascia

근막(fascia)은 근육의 겉면을 싸고 있는 막이다. 근막은 피부와 근육 사이에 위치하며 온몸에 걸쳐 분포하나, 부위에 따라서 강도나 두께의 차이가 있다.

* 근막은 결체조직의 일종으로, 근육과 같은 체내의 구조물을 보호하고 지지하는 역할을 한다.
* 근막은 근육을 묶어 보호하는 동시에 근육이 움직이는 방향과 각도를 결정한다.
* 근막의 기능이 떨어지면 근육의 힘이 분산되어 제대로 힘을 주지 못하고 세밀한 동작을 할 수 없게 된다.
* 근막이 굳어버리면 근육의 움직임을 방해하여 근육이 제대로 기능하지 못할 뿐만 아니라 근육의 움직임과 관절의 움직임까지 제한받을 수 있다.

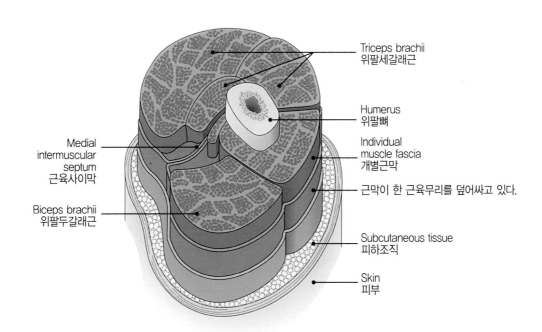

Triceps brachii
위팔세갈래근

Humerus
위팔뼈

Individual
muscle fascia
개별근막

근막이 한 근육무리를 덮어싸고 있다.

Subcutaneous tissue
피하조직

Skin
피부

Medial
intermuscular
septum
근육사이막

Biceps brachii
위팔두갈래근

근육의 수축
Contraction of Muscles

근육의 수축이란

근육의 수축이란 근장력이 발생한다는 뜻이며, 반드시 단축을 의미하는 것은 아니다. 반대로 근육에 수축이 없는 상태를 이완이라고 한다.

근육의 수축양식은 크게 등장성 수축, 등척성 수축, 등속성 수축의 3가지로 분류한다.

- 등장성 수축은 근육의 장력과 부하가 균형이 잡힌 상태에서 근육이 장력을 발휘하는 것으로, 근육이 짧아지면서 힘을 발휘하는 구심성 수축과 근육이 늘어나면서 힘을 발휘하는 원심성 수축이 조합되어 있다.
- 등척성 수축은 근육이 길이를 바꾸지 않고 수축하는 것이다.
- 등속성 수축은 일정한 속도로 움직이는 것에 대하여 힘을 발휘하는 수축을 말한다.

근수축의 메커니즘

근수축은 근육원섬유의 액틴과 마이오신의 상호작용으로 발생한다.

- 신경에서 흥분이 전달되어 오면 근육세포질그물(근소포체)에서 칼슘이온이 방출된다.
- 이 칼슘에 의하여 액틴은 마이오신과 접촉하여 아데노신3인산(ATP)을 분해하여 에너지를 방출한다.
- 에너지에 의하여 가느다란 액틴필라멘트(가는근육미세섬유)가 굵은 마이오신필라멘트의 사이로 끌려들어가 근수축이 일어난다.
- 신경으로부터의 자극이 사라지면 칼슘이 흡수되어 근육이 이완된다. 칼슘이온은 수축과 이완을 제어한다.

근육의 상호작용

뼈대근육에는 일반적으로 서로 대항하는 근육이 존재한다. 아래의 그림을 보면 위팔두갈래근과 위팔세갈래근, 넙다리두갈래근과 넙다리네갈래근은 각각 쌍을 이루고 있다. 그리고 쌍으로 이루어진 근육은 단독으로 활동하는 것이 아니라 공동으로 움직이거나, 목적과 반대의 운동을 실시함으로써 신체의 움직임을 만들어낸다.

예를 들어 팔꿈치를 굽힐 때에는 위팔두갈래근은 수축되고, 위팔세갈래근은 이완된다(펴진다). 이 때 위팔두갈래근을 어떠한 목적의 운동을 실시하는 주동작근이라 하고, 위팔세갈래근을 목적과 반대의 움직임을 실시하는 대항근이라고 한다.

ATP 공급방법

스포츠의 경기수행능력은 단시간 내에 얼마나 빠르게 근력을 회복시킬 수 있는가에 달려 있는데, 이 것은 근육의 에너지공급원 회복속도에 의존한다고 할 수 있다. 운동 시 근육수축은 ATP(아데노신3인산)가 ADP(아데노신2인산)로 분해되어 발생하는 에너지에 의하여 발생한다. 그리고 운동을 계속하기 위해서는 이 ATP를 계속 공급할 필요가 있다.

에너지공급시스템에는 크게 무산소에너지대사(크레아틴인산계 및 당분해계)와 유산소에너지대사(TCA회로)가 있다. 이러한 공급시스템은 운동강도 및 운동시간에 따라 분류된다.

근육의 피로

근수축을 오래 계속하면 ATP의 분해에 산소의 공급이 따라가지 못하게 되어 무산소로 당분해를 하게 된다. 이때 다량의 젖산이 축적되어 근수축 능률이 저하된다.

넓은등근

가슴근

위팔세갈래근

위팔두갈래근

등근육근

배근육군

손바닥쪽굽힘근육군

손등쪽굽힘근육군

넙다리두갈래근

넙다리네갈래근

종아리세갈래근

앞정강근

ATP 공급의 종류

근육에 포함된 크레아틴인산(CP)에서 만드는 방법	ATP를 빨리 얻을 수 있으나, 한계도 빨리 온다.
글리코겐을 글루코스와 피루빈산으로 분해하는 과정에서 만드는 방법……당분해	무산소상태에서 발생한다(무산소대사). 젖산이 쌓이면 에너지를 만들 수 없게 된다.
혈액에서 거두어들인 글루코스 및 지방산을 분해하여 만드는 방법……TCA(구연산)회로	산소를 이용하여 발생한다(유산소대사) ATP를 얻는 데에는 느리지만, 장시간에너지를 만들어낼 수 있다.

근수축의 형태

등장성 수축	근장력이 변화하지 않고 수축하는 경우 예 : 들어올리거나 내리는 운동
구심성 수축	근육의 긴장에 의하여 단축이 발생하는 경우 예 : 바벨을 드는 운동
원심성 수축	근육이 긴장하면서 늘어나는 경우 예 : 바벨을 내리는 운동
등척(정지)성 수축	근육의 전체 길이에 변화가 없는 수축 예 : 이른바 공기의자 트레이닝
등속성 수축(등운동성 수축)	근장력이 변화하여도 관절운동은 일정 속도 예 : 수영의 크롤 등

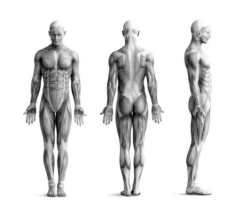

8.

표면층의 뼈대근육
Superficial skeletal muscles

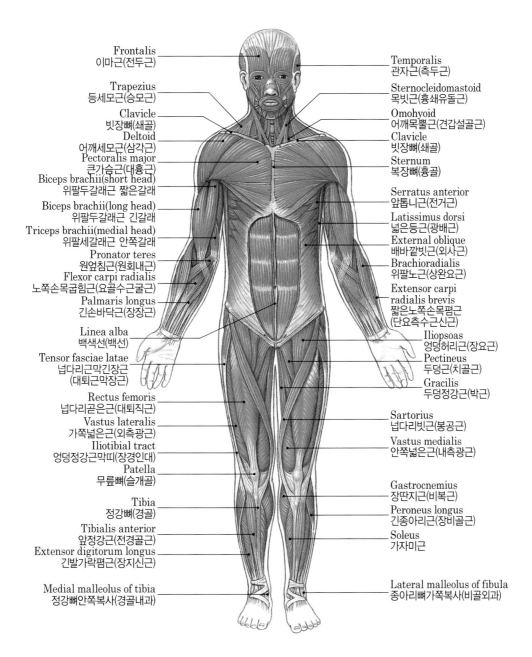

Frontalis
이마근(전두근)

Trapezius
등세모근(승모근)

Clavicle
빗장뼈(쇄골)

Deltoid
어깨세모근(삼각근)

Pectoralis major
큰가슴근(대흉근)

Biceps brachii(short head)
위팔두갈래근 짧은갈래

Biceps brachii(long head)
위팔두갈래근 긴갈래

Triceps brachii(medial head)
위팔세갈래근 안쪽갈래

Pronator teres
원엎침근(원회내근)

Flexor carpi radialis
노쪽손목굽힘근(요골수근굴근)

Palmaris longus
긴손바닥근(장장근)

Linea alba
백색선(백선)

Tensor fasciae latae
넙다리근막긴장근
(대퇴근막장근)

Rectus femoris
넙다리곧은근(대퇴직근)

Vastus lateralis
가쪽넓은근(외측광근)

Iliotibial tract
엉덩정강근막띠(장경인대)

Patella
무릎뼈(슬개골)

Tibia
정강뼈(경골)

Tibialis anterior
앞정강근(전경골근)

Extensor digitorum longus
긴발가락폄근(장지신근)

Medial malleolus of tibia
정강뼈안쪽복사(경골내과)

Temporalis
관자근(측두근)

Sternocleidomastoid
목빗근(흉쇄유돌근)

Omohyoid
어깨목뿔근(견갑설골근)

Clavicle
빗장뼈(쇄골)

Sternum
복장뼈(흉골)

Serratus anterior
앞톱니근(전거근)

Latissimus dorsi
넓은등근(광배근)

External oblique
배바깥빗근(외사근)

Brachioradialis
위팔노근(상완요근)

Extensor carpi
radialis brevis
짧은노쪽손목폄근
(단요측수근신근)

Iliopsoas
엉덩허리근(장요근)

Pectineus
두덩근(치골근)

Gracilis
두덩정강근(박근)

Sartorius
넙다리빗근(봉공근)

Vastus medialis
안쪽넓은근(내측광근)

Gastrocnemius
장딴지근(비복근)

Peroneus longus
긴종아리근(장비골근)

Soleus
가자미근

Lateral malleolus of fibula
종아리뼈가쪽복사(비골외과)

표면층의 뼈대근육(앞면)
Superficial Skeletal Muscles(Anterior)

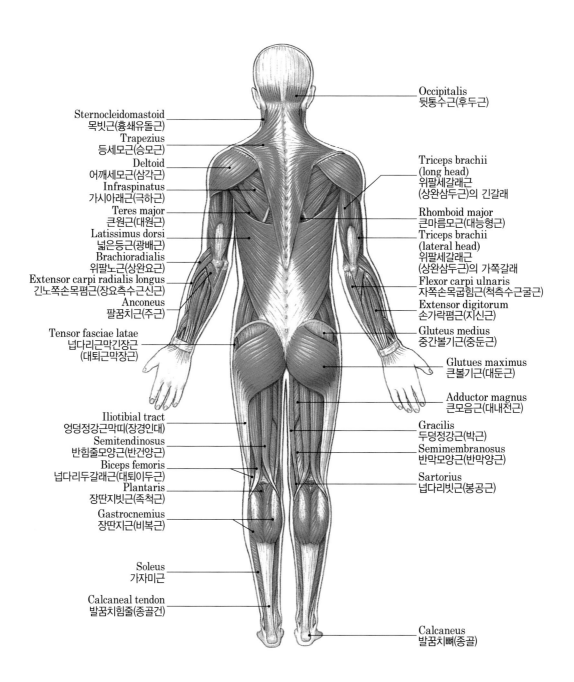

Sternocleidomastoid
목빗근(흉쇄유돌근)
Trapezius
등세모근(승모근)
Deltoid
어깨세모근(삼각근)
Infraspinatus
가시아래근(극하근)
Teres major
큰원근(대원근)
Latissimus dorsi
넓은등근(광배근)
Brachioradialis
위팔노근(상완요근)
Extensor carpi radialis longus
긴노쪽손목폄근(장요측수근신근)
Anconeus
팔꿈치근(주근)
Tensor fasciae latae
넙다리근막긴장근
(대퇴근막장근)

Iliotibial tract
엉덩정강근막띠(장경인대)
Semitendinosus
반힘줄모양근(반건양근)
Biceps femoris
넙다리두갈래근(대퇴이두근)
Plantaris
장딴지빗근(족척근)
Gastrocnemius
장딴지근(비복근)

Soleus
가자미근

Calcaneal tendon
발꿈치힘줄(종골건)

Occipitalis
뒷통수근(후두근)

Triceps brachii
(long head)
위팔세갈래근
(상완삼두근)의 긴갈래

Rhomboid major
큰마름모근(대능형근)
Triceps brachii
(lateral head)
위팔세갈래근
(상완삼두근)의 가쪽갈래
Flexor carpi ulnaris
자쪽손목굽힘근(척측수근굴근)
Extensor digitorum
손가락폄근(지신근)
Gluteus medius
중간볼기근(중둔근)

Glutues maximus
큰볼기근(대둔근)

Adductor magnus
큰모음근(대내전근)

Gracilis
두덩정강근(박근)
Semimembranosus
반막모양근(반막양근)

Sartorius
넙다리빗근(봉공근)

Calcaneus
발꿈치뼈(종골)

표면층의 뼈대근육(뒷면)
Superficial Skeletal Muscles(Posterior)

우리 몸의 근육

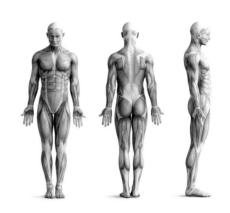

1.

이마근(전두근)
Frontalis m.

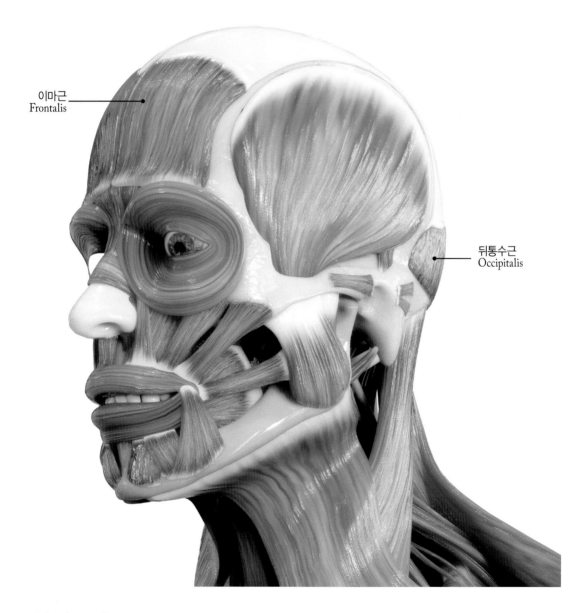

이마근
Frontalis

뒤통수근
Occipitalis

28

- 이마근은 눈썹을 위로 치켜올리며 주름을 만들고, 깜짝 놀랐을 때 눈이 커지는 표정을 만들어낸다.
- 이마근에 이상이 있으면 족양명위경의 두유혈 부분에 전두통이 오며, 스트레스로 인해 이마를 찡그리는 현상으로 나타난다.

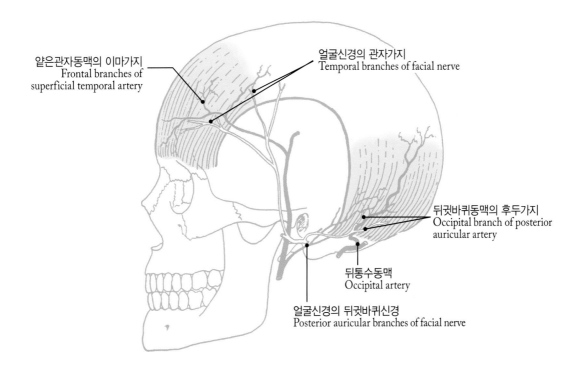

앝은관자동맥의 이마가지
Frontal branches of
superficial temporal artery

얼굴신경의 관자가지
Temporal branches of facial nerve

뒤귓바퀴동맥의 후두가지
Occipital branch of posterior
auricular artery

뒤통수동맥
Occipital artery

얼굴신경의 뒤귓바퀴신경
Posterior auricular branches of facial nerve

시작점　　**뒤통수근** : 위목덜미선 가쪽 2/3 부분과 꼭지돌기부분

　　　　　　이마근 : 관상봉합 높이에서 머리덮개널힘줄

정지점　　**뒤통수근** : 뒤통수부분의 피부, 머리덮개널힘줄

　　　　　　이마근 : 이마부분의 피부, 머리덮개널힘줄

신경지배　**뒤통수근** : 얼굴신경으로부터 뒤귓바퀴신경

　　　　　　이마근 : 얼굴신경의 관자가지

작 용　　머리덮개(두피)를 앞뒤로 움직이고 눈썹을 끌어올린다(놀랐을 때).

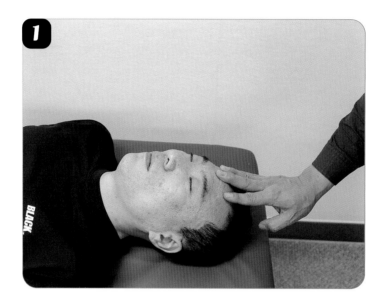

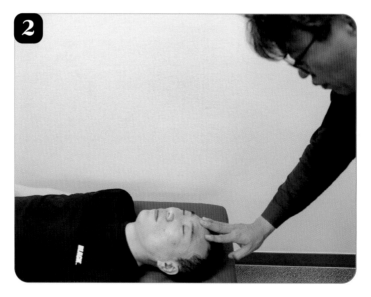

1. 전두근을 촉지한다.

2. 치료사는 고객의 눈방향으로 아래로 저항을 주고 고객에게 눈을 윗쪽을 바라보면서 이마의 주름을 만들라고 지시한다.

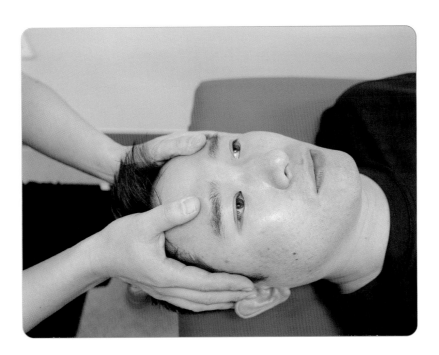

1. 전두근을 촉지한다.

2. 치료사는 엄지를 이용하여 이마의 정중선에 놓는다.

3. 전두근에 압을 가하면서 근막과 근육을 이완하면서 엄지를 바깥쪽으로 움직인다.

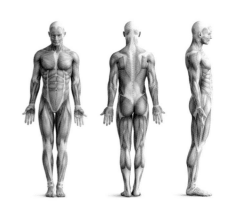

관자마루근(측두두정근)
Temporoparietalis m.

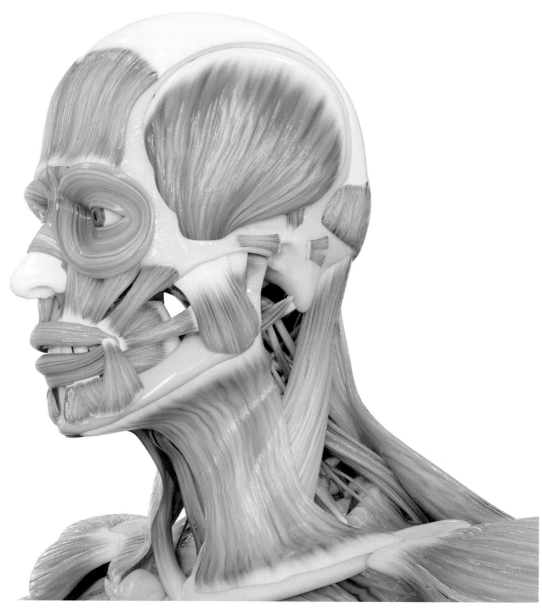

- 관자마루근은 저작(씹는)기능과 목주변·목의 통증 등과 관련되며, 족양명위경의 두유혈과 연결된다.
- 관자동맥이 분포하는 지점이므로 지나친 압력을 주거나 강하게 압박하면 안 된다.
- 팔딱거리는 모습을 관자에서 볼 수 있다.

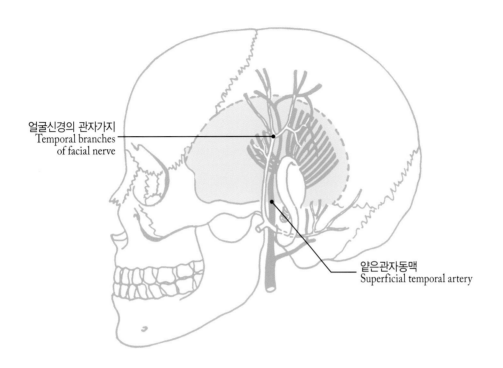

얼굴신경의 관자가지
Temporal branches
of facial nerve

얕은관자동맥
Superficial temporal artery

시작점   귀의 윗부분 및 앞부분의 관자근막

정지점   머리덮개널힘줄의 가쪽모서리

신경지배   얼굴신경의 관자가지

작 용   피부를 바짝 조여 관자놀이의 피부를 뒤쪽으로 끌어당긴다.

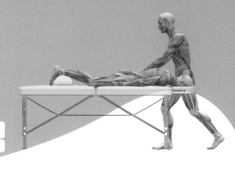

34

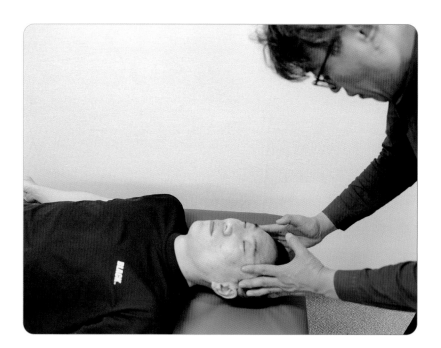

1. 측두근을 촉지한다.

2. 이때 측두근의 측두동맥이 강하게 압박받지 않도록 한다.

3. 측두근을 촉지하고 고정한 후 환자에게 입을 벌리고 닫으라고 지시한다.

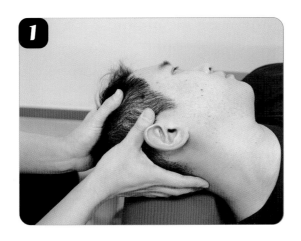

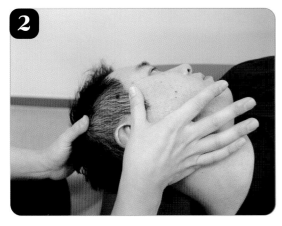

1. 치료사의 한손-엄지는 측두근의 정지점인 모상건막의 외측면을 고정한다.

2. 치료사의 한손으로 측두근을 시작점 방향으로 근막을 이완하면서 늘려 준다(이때 측두동맥이 강하게 압박받지 않도록 주의한다).

3. 치료사는 측두근 전체를 4손가락으로 상부를 고정하며 한손은 관골방향으로 근막이완을 해준다.

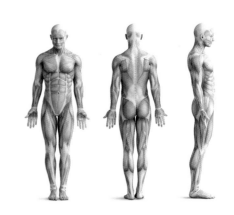

3.

눈둘레근(안륜근)
Orbicularis oculi m.

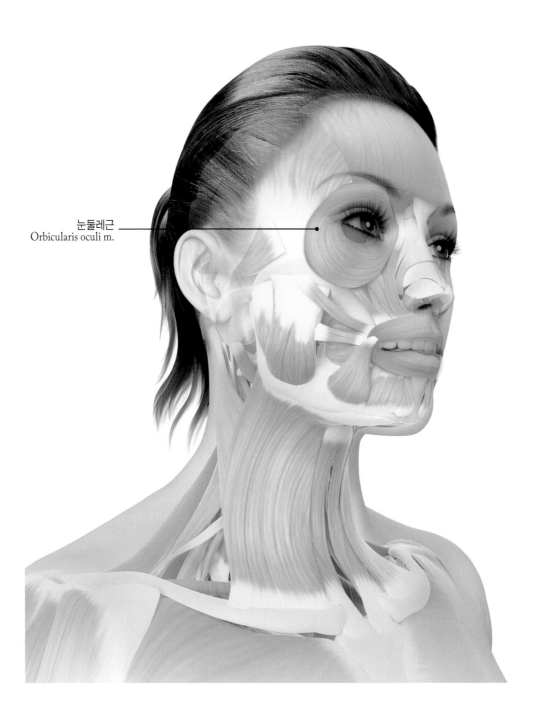

눈둘레근
Orbicularis oculi m.

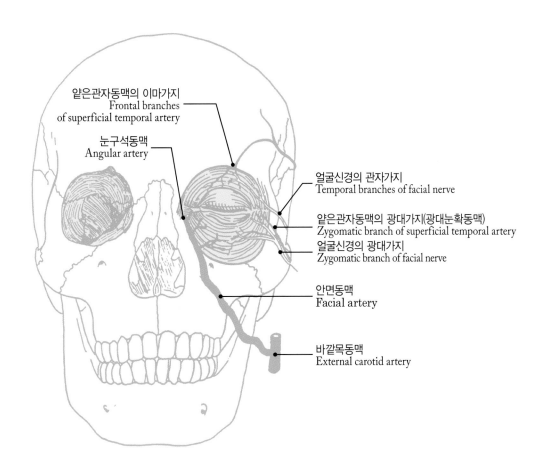

얕은관자동맥의 이마가지
Frontal branches
of superficial temporal artery

눈구석동맥
Angular artery

얼굴신경의 관자가지
Temporal branches of facial nerve

얕은관자동맥의 광대가지(광대눈확동맥)
Zygomatic branch of superficial temporal artery

얼굴신경의 광대가지
Zygomatic branch of facial nerve

안면동맥
Facial artery

바깥목동맥
External carotid artery

시작점 　**눈확부분섬유** : 눈확안쪽모서리

　　　　　눈꺼풀부분섬유 : 눈꺼풀인대

　　　　　눈물주머니부분섬유 : 눈물뼈

정지점 　**눈확부분섬유** : 위눈꺼풀 주위를 활모양으로 둘러싸고, 이어서 아래눈꺼풀 주위를
돌아 눈꺼풀인대

　　　　　눈꺼풀부분섬유 : 눈의 바깥각부분에서 서로 혼합되어 눈꺼풀솔기

　　　　　눈물주머니부분섬유 : 위아래 눈꺼풀의 안쪽부분

신경지배 　얼굴신경의 관자가지와 광대가지

작 용 　눈꺼풀 조이기(눈꺼풀부분은 제대로근육)

재활 근육 운동법

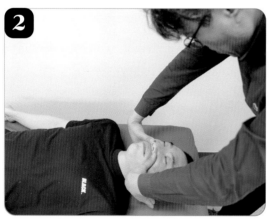

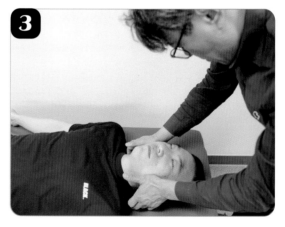

1. 치료사는 고객의 안와(눈밑)에 엄지손가락을 살짝 얹여 놓고 아래 검지와 나머지 손가락을 이용해 마름모꼴을 만든다.

2. 엄지손가락이 안와를 미끄려져 내려가 안륜근의 근막을 끌고 내려간다(압력은 강하지 않다).

3. 안륜근의 근막이 관골쪽에 붙기 때문에 이쪽을 손바닥 장측으로 고정하여 안륜근을 스트레칭을 하여 고정점에 압력을 가하여 자리잡도록 해준다(안륜근의 과긴장 되어 안압이 높아지거나, 눈이 뻑뻑한 고객에게 적합하다).

※ 구안와사, 안면마비 고객에게는 필수적으로 해주어야 한다.

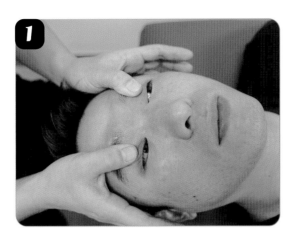

1. 치료사는 고객의 안와 상부를 약한 압력으로 근막을 고정한다.

2. 눈가쪽 방향으로 근막을 이완하면서 끌어 온다.

3. 안륜근이 끝나는 눈가쪽 부위까지 근막을 끌고 내려와 쓸어 준다.

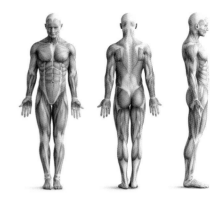

입둘레근(구륜근)
Orbicularis oris m.

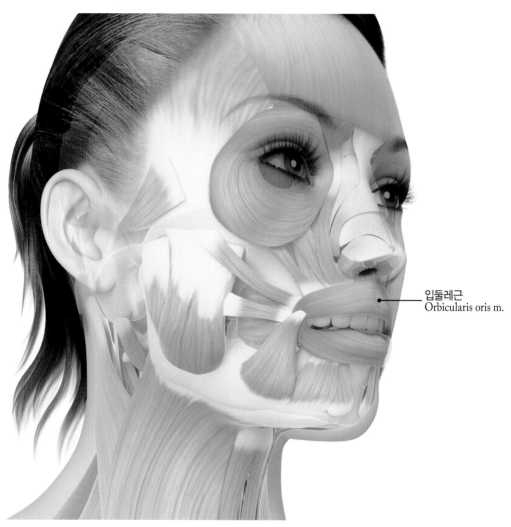

입둘레근
Orbicularis oris m.

- 입둘레근은 입언저리에 모여 있는 여러 가지 얼굴근육이 그 자신의 고유근육섬유에 의해 형성된다.
- 깊은층은 입술에서 교차하는 볼근으로 되어 있고, 위턱섬유는 아랫입술을 향하고 아래턱섬유는 윗입술을 향한다.
- 위아래볼근육섬유는 교차하지 않고, 위아래입술을 향한다.
- 보다 얕은층에 있는 입꼬리올림근과 입꼬리내림근섬유의 경우 올림근은 아래입술로, 내림근은 위입술로 가서 입꼬리에서 교차한다.

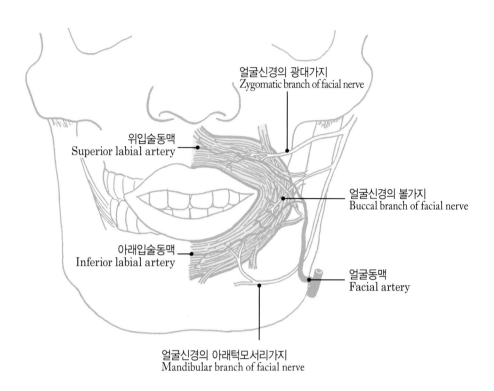

얼굴신경의 광대가지
Zygomatic branch of facial nerve

위입술동맥
Superior labial artery

얼굴신경의 볼가지
Buccal branch of facial nerve

아래입술동맥
Inferior labial artery

얼굴동맥
Facial artery

얼굴신경의 아래턱모서리가지
Mandibular branch of facial nerve

4. 입둘레근(구륜근)

시작점　위턱뼈, 아래턱뼈, 입술, 볼근

정지점　점막, 입술에 닿는 근육들

신경지배　얼굴신경의 아래광대가지 · 볼가지 · 아래턱가지(아래턱모서리가지)

작 용　입술의 축소 · 수축 · 돌출. 표정을 나타낼 때 사용된다.

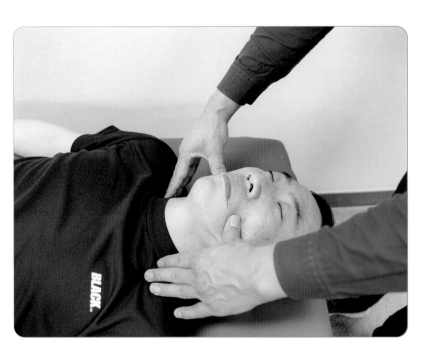

1. 치료사의 입가쪽 구륜근의 근막을 잡고 고정한다.

2. 고객에게 입에 바람을 살짝 넣었다 뺐다를 반복하게 한다.

3. 치료사는 이때 고객의 근막을 잡고 저항감을 준다.

수기재활법

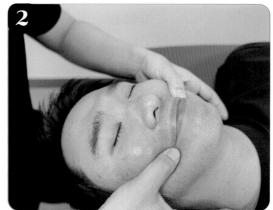

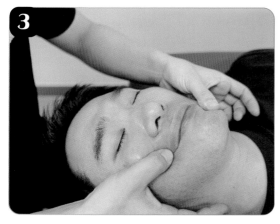

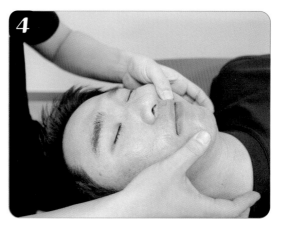

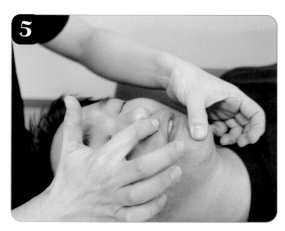

1. 치료사는 구륜근의 한쪽 방향 근육을 잡고 근막 이완 및 스트레칭을 바깥쪽으로 해준다.

2. 치료사는 양쪽 구륜근을 잡아 양쪽 가쪽 방향으로 동시에 근막-근육 스트레칭을 해준다.

3. 치료사는 입을 중심으로 대각선, 대칭 방향으로 근막-근육 스트레칭을 해준다.

4. 치료사는 구륜근을 중심으로 수직방향으로 근막-근육 스트레칭을 해준다.

큰 · 작은광대근(대 · 소관골근)
Zygomaticus major / minor m.

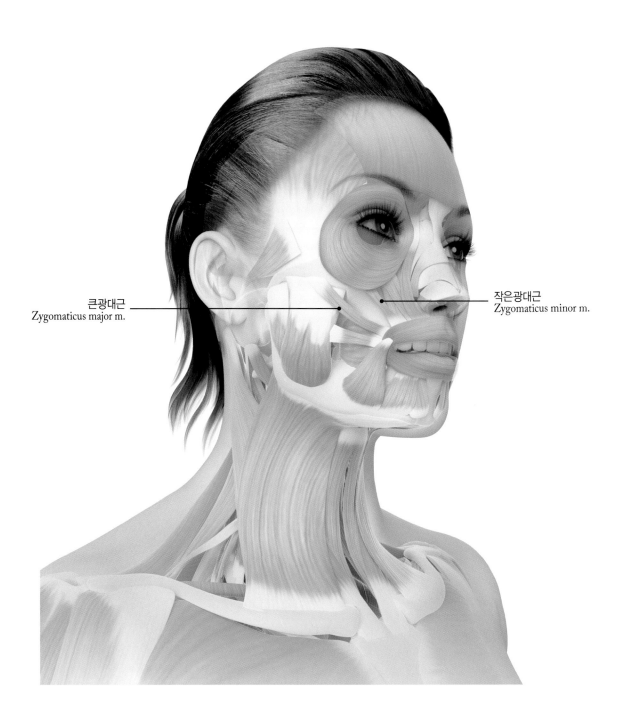

큰광대근
Zygomaticus major m.

작은광대근
Zygomaticus minor m.

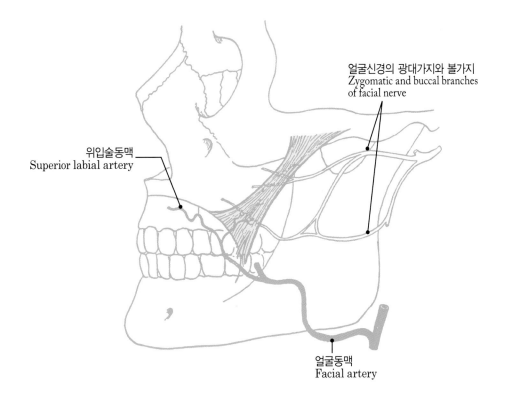

얼굴신경의 광대가지와 볼가지
Zygomatic and buccal branches
of facial nerve

위입술동맥
Superior labial artery

얼굴동맥
Facial artery

시작점	광대활의 광대뼈부분
정지점	입꼬리에서 입꼬리내림근, 송곳니근(입둘레근과 혼합된다)
신경지배	얼굴신경의 광대가지와 볼가지
작 용	웃을 때 입꼬리를 뒤쪽 및 위쪽으로 끌어당긴다.

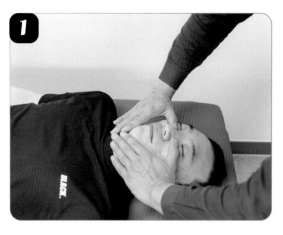

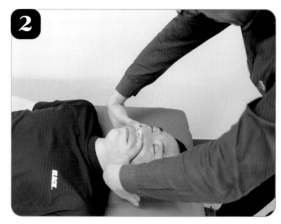

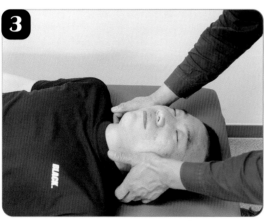

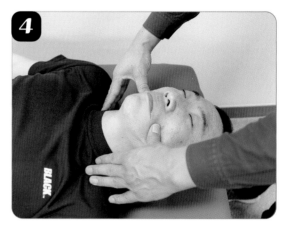

1. 치료사는 고객의 안와 상부를 약한 압력으로 근막을 고정한다.

2. 치료사는 엄지를 안와 밑으로 근막을 끌고 오는 느낌으로 관골부위로 내려온다.

3. 치료사는 엄지를 이용해 소협골근, 대협골근 입가쪽으로 근막을 끌고와 손바닥 장측으로 고정한다(3-5 회 반복한다).

소협골근, 대협골근이 짧아져 있는 고객(구안와사, 안면마비, 안면 비대칭)에게 근육을 재교육 시키는 과정을 지속적으로 트레이닝 시켜야 안면근육이 제 위치에서 적절한 근긴장을 가지고 활동할 수 있을 때까지 시간을 두고 재교육을 해야 한다.

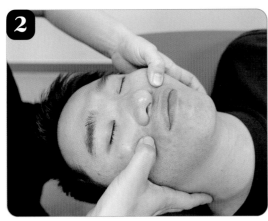

1. 치료사는 소협골근, 대협골근 근육을 촉지하고 가벼운 압력으로 눌러준다.

2. 치료사는 이때 소협골근, 대협골근이 이완됨을 감지하고 느낄 수 있다.

3. 안쪽 소협골근, 대협골근을 하나씩 다시 촉지하고 고객이 미소를 짓는 방향을 생각하면서 소협골근, 대협골근 근육을 살짝 압박한 뒤에 근육-근막을 끌고 온다는 느낌으로 이완해 준다.

깨물근(교근)
Masseter m.

깨물근
Masseter m.

- 깨물근은 관자근과 함께 저작(씹는)기능을 할 때 주로 사용된다.
- 깨물근이상은 턱관절(TMJ)의 부정교합으로 나타나고, 두통과 체형의 틀어짐에도 관여한다.
- 강한 근육으로 차력사들이 입으로 차력시범을 보일 때도 사용된다.
- 치아부정교합, 사각턱과도 관련이 있다.
- 목빗근(흉쇄유돌근)의 기능이 떨어지면 깨물근에도 영향을 미친다.

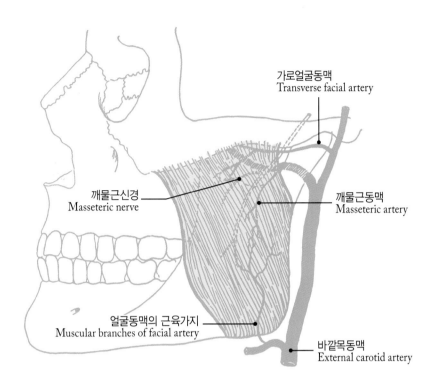

가로얼굴동맥
Transverse facial artery

깨물근신경
Masseteric nerve

깨물근동맥
Masseteric artery

얼굴동맥의 근육가지
Muscular branches of facial artery

바깥목동맥
External carotid artery

시작점　**얕은층** : 광대활 아래모서리 앞 2/3
　　　　　깊은층 : 광대활안쪽면

정지점　아래턱의 갈고리돌기 가쪽면, 아래턱가지의 위쪽반분과 아래턱각

신경지배　삼차신경의 아래턱신경앞가지에서 나온 깨물근신경

작 용　턱을 들어올려 아래윗니가 맞닿게 한다.

재활 근육 운동법

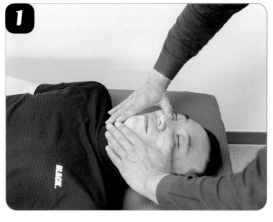

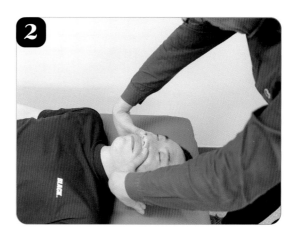

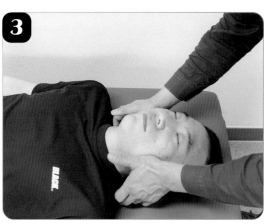

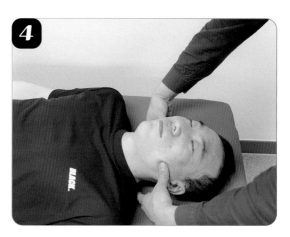

1. 치료사는 고객의 안와 상부를 약한 압력으로 근막을 고정한다.

2. 치료사는 엄지를 안와 밑으로 근막을 끌고 오는 느낌으로 관골부위로 내려온다.

3. 치료사는 손바닥 장측으로 교근을 고정하고 톱니를 돌리듯 교근에 압박을 가한 후 긴장된 교근을 풀어 준다.

4. 치료사는 양쪽 엄지를 활용해 교근을 고정한 후 고객에게 입을 열었다 닫았다를 지시한다(위와 같은 방법을 3-5회 반복하여 교근의 운동성을 회복하게 한다).

Tip

교근을 풀기 전에 선행적으로 안와 부터 시작해 관골과 코끝의 근막을 끌고 와서 교근의 운동성을 촉진 시키는 방법으로 접근하는 것이 효과적이다.

수기재활법

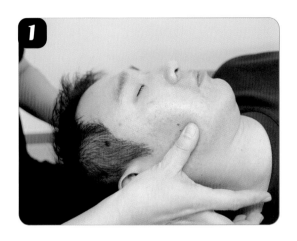

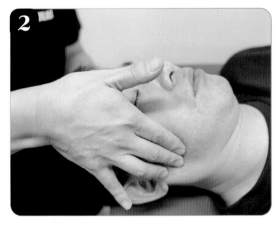
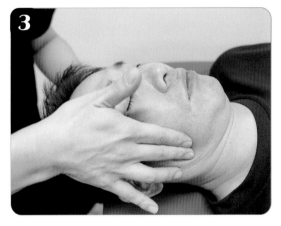

1. 치료사는 엄지를 사용하여 교근에 압력을 가하여 고객의 교근의 근긴장이 완화될 때까지 기다려 준다.
2. 치료사는 검지와 중지, 약지를 이용하여 관골부위 부터 압력을 가하여 하악턱 방향으로 근막을 이완하여 준다.
3. 치료사는 교근의 수직방향성을 생각하여 교근의 근육-근막을 이완하는 느낌으로 아래턱 방향으로 스트레치해준다.

안쪽 · 가쪽날개근(내측 · 외측익돌근)
Medial / lateral pterygoid m.

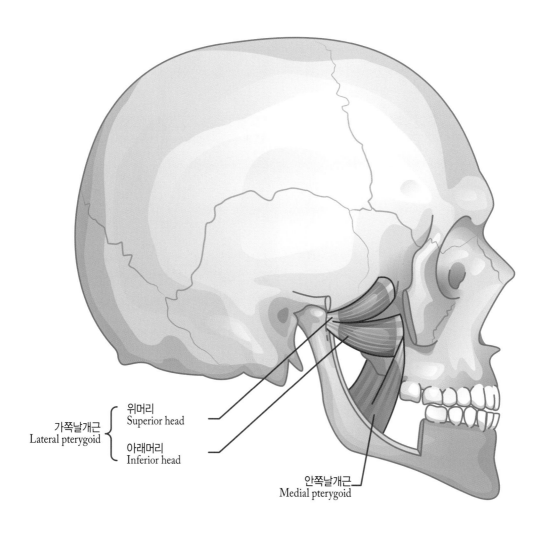

가쪽날개근
Lateral pterygoid

위머리
Superior head

아래머리
Inferior head

안쪽날개근
Medial pterygoid

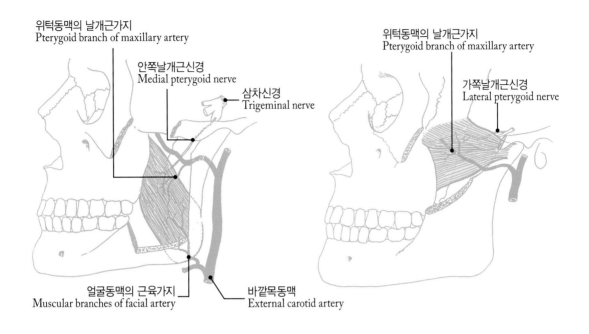

위턱동맥의 날개근가지
Pterygoid branch of maxillary artery

안쪽날개근신경
Medial pterygoid nerve

삼차신경
Trigeminal nerve

위턱동맥의 날개근가지
Pterygoid branch of maxillary artery

가쪽날개근신경
Lateral pterygoid nerve

얼굴동맥의 근육가지
Muscular branches of facial artery

바깥목동맥
External carotid artery

시작점　**안쪽날개근의 큰근육섬유다발** : 날개돌기 가쪽판의 안쪽면과 입천장뼈의 피라미드돌기
　　　　안쪽날개근의 작은근육섬유다발 : 위턱결절
　　　　가쪽날개근의 위쪽갈래 : 나비뼈큰날개관자 아래면
　　　　가쪽날개근의 아래쪽갈래 : 날개돌기 가쪽판의 가쪽면

정지점　**안쪽날개근** : 아래턱가지 안쪽면 아랫부분 및 뒷부분과 아래턱각
　　　　가쪽날개근 : 아래턱뼈관절돌기 목부분의 앞면과 턱관절주머니

신경지배　**안쪽날개근** : 삼차신경 아래턱가지의 안쪽날개근가지
　　　　가쪽날개근 : 가쪽날개근신경(아래턱신경의 앞가지)

작 용　**안쪽날개근** : 아래턱을 끌어당기거나 들어올린다. 씹을 때 회전운동을 보조한다.
　　　　가쪽날개근 : 아래턱을 돌출시키고, 관절원반을 앞쪽으로 끌어당긴다. 씹을 때 회전
운동을 보조한다.

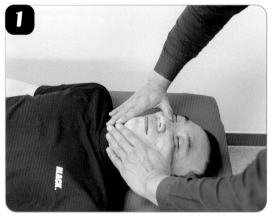
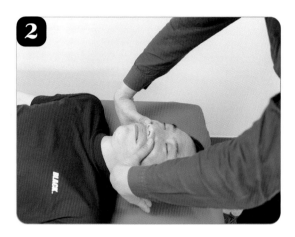

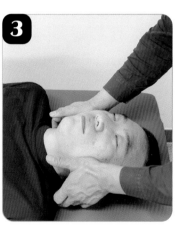
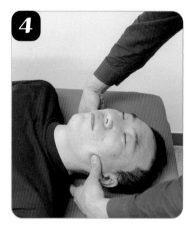
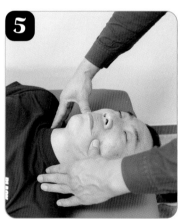

1. 치료사는 고객의 안와 상부를 약한 압력으로 근막을 고정한다.

2. 치료사는 엄지를 안와 밑으로 근막을 끌고 오는 느낌으로 관골부위로 내려온다.

3. 치료사는 교근 앞쪽에 압력을 가하여 안쪽에 내측익돌근, 외측익돌근에 압력을 가하여 손바닥 장측으로 압박을 가한다.

4. 치료사는 교근 앞쪽에 엄지를 이용하여 적절한 압력을 가하여 근 긴장을 풀어준다.

5. 치료사는 내측익돌근 긴장을 해소하기 위하여 엄지를 이용하여 입주위 근막을 입가쪽으로 풀어준다.

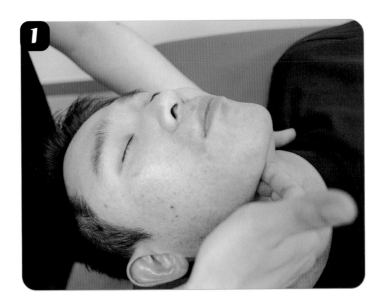

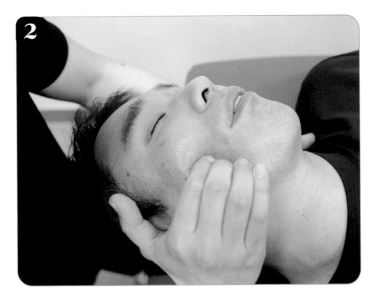

1. 치료사는 하악골 내측면을 통하여 부드러운 압력으로 내측익돌근 근막을 이완하여 준다.

2. 치료사는 교근 앞쪽으로 입안의 내측익돌근을 생각하며 입안의 근긴장을 전체적으로 완화하여 익돌근의 긴장을 완화하여 입벌어짐 운동을 촉진 시킬 수 있다.

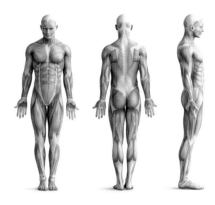

넓은목근(광경근)
Platysma m.

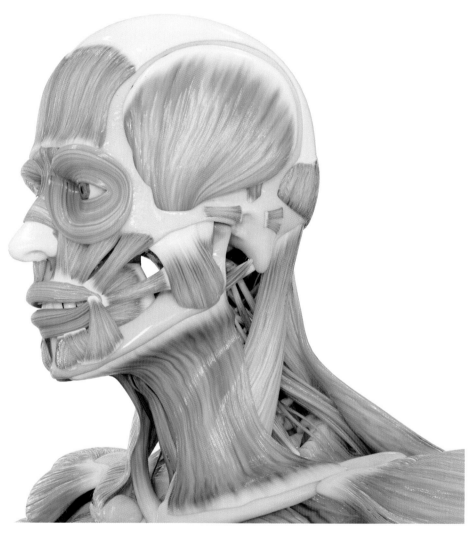

- 넓은목근은 큰가슴근 윗부분과 어깨세모근 윗부분을 덮는 얇은 판모양의 근육이다.

- 넓은목근은 어깨세모근(삼각근)과 큰가슴근(대흉근)의 근막과 연결되어 어깨의 움직임에 영향을 준다.

- 어깨관절의 가동은 등세모근(승모근)과 목빗근(흉쇄유돌근)의 연계로 이루어지는데, 이 근육들에 이상이 생기면 얼굴근육의 부자유스러움에 영향을 준다.

- 얼굴의 표정에 비대칭이 나타나면 살펴보아야 할 근육이다.

- 인체에서 성형을 할 수 없는 근육이다.

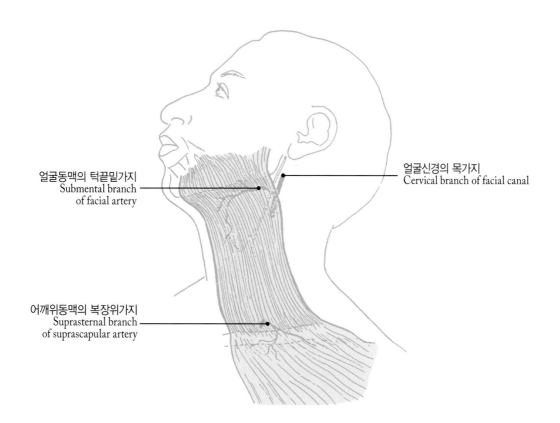

얼굴동맥의 턱끝밑가지
Submental branch
of facial artery

얼굴신경의 목가지
Cervical branch of facial canal

어깨위동맥의 복장위가지
Suprasternal branch
of suprascapular artery

시작점 큰가슴근, 어깨세모근을 덮은 깊은근막

정지점 아래턱뼈와 입꼬리

신경지배 얼굴신경의 목가지

작 용 아래턱과 아래입술을 내리고, 목피부를 팽팽하게 하거나 주름을 만든다.

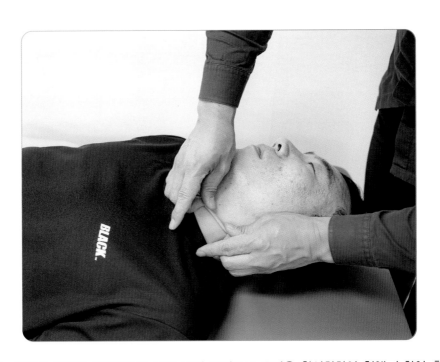

1. 치료사는 광경근 근막을 전체적으로 잡아 롤핑 요법으로 근막을 활성화하여 혈액 순환이 촉진을 유도
   하여 목주위 근막의 유연함을 동시에 유도할 수 있다.

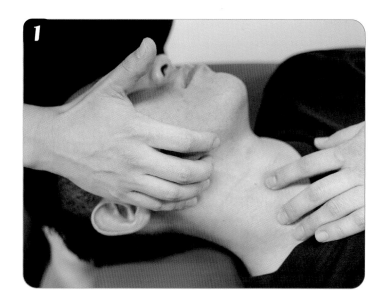

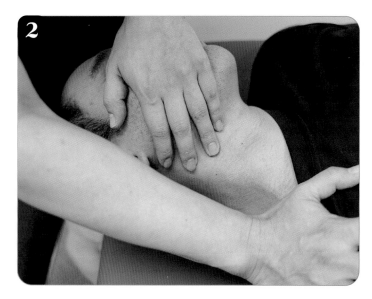

1. 치료사는 상부의 광경근 근막을 고정한 후 흉골방향으로 근막-스트레치를 적용한다.

2. 치료사는 상부의 광경근 근막을 고정한 후 어깨방향으로 근막-스트레치를 적용한다.

큰·작은뒤머리곧은근(대·소후두직근)
Rectus capitis posterior major / minor m.

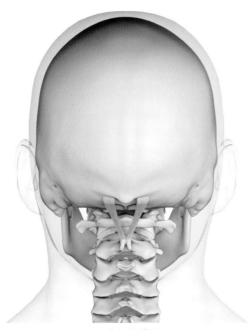

큰뒤머리곧은근
Rectus capitis posterior major m.

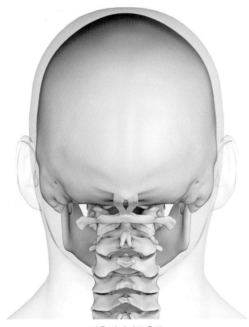

작은뒤머리곧은근
Rectus capitis posterior minor m.

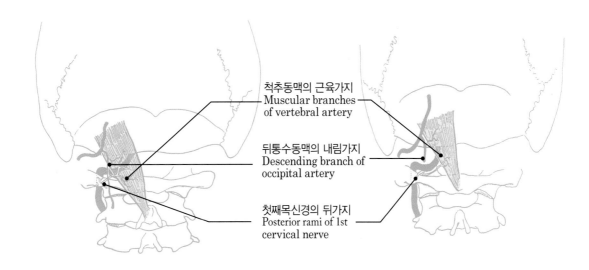

척추동맥의 근육가지
Muscular branches
of vertebral artery

뒤통수동맥의 내림가지
Descending branch of
occipital artery

첫째목신경의 뒤가지
Posterior rami of 1st
cervical nerve

시작점	**큰뒤머리곧은근** : 둘째목뼈의 가시돌기
	작은뒤머리곧은근 : 첫째목뼈(고리뼈)의 뒤결절

정지점	**큰뒤머리곧은근** : 뒤통수뼈의 아랫목덜미선 가쪽부분
	작은뒤머리곧은근 : 뒤통수뼈의 아랫목덜미선에서 아랫부분

신경지배	**큰뒤머리곧은근** : 첫째목신경 뒤가지의 근육가지(뒤통수밑신경)
	작은뒤머리곧은근 : 첫째목신경 뒤가지의 근육가지(뒤통수밑신경)

작 용	**큰뒤머리곧은근** : 머리 펴기 · 가쪽굽히기 · 돌리기
	작은뒤머리곧은근 : 목 펴기와 가쪽굽히기

재활 근육 운동법

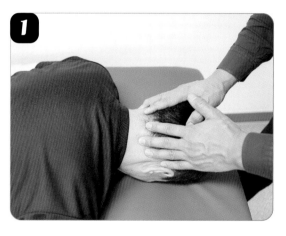

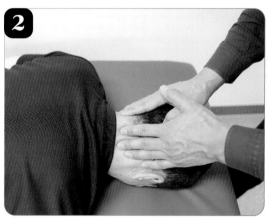

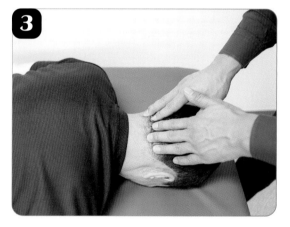

1. 치료사는 후두부의 대후두, 소후두 직근을 촉지한다.

2. 치료사는 후두부의 대후두, 소후두 직근에 수직방향성에 저항을 준다.

3. 치료사의 저항에 대항하여 고객은 고객의 목을 신전 방향으로 유도한다.

고객이 어지럽거나 두통을 호소하지 않도록 고객의 과긴장이 유도 되지 않도록 고객의 상태를
체크하며, 적절한 시간, 압력을 고려 하여야 한다.

1. 치료사는 후두부의 상항선 안쪽 부위에 쏙 들어가는 부위에 지렛대를 걸듯이 손가락을 이용하여 접근한다.

2. 치료사는 조금더 강한 자극을 주기 위해 엄지를 이용하여 후두부위 천추(경락혈)부위로 앞쪽 안와쪽으로 압력을 가하면서 근 긴장을 완화할 수 있다.

위·아래머리빗근(상·하두사근)
Obliquus capitis superior / inferior m.

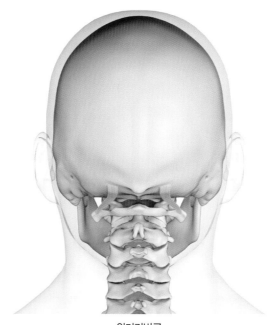

위머리빗근
Obliquus capitis superior m.

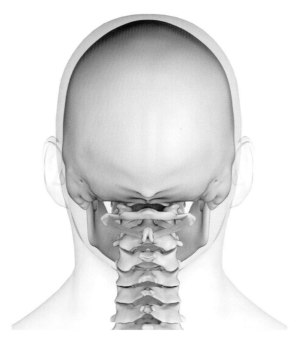

아래머리빗근
Rectus capitis inferior m.

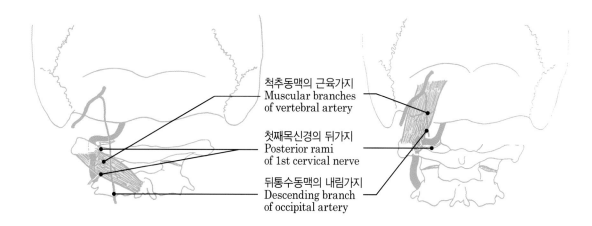

척추동맥의 근육가지
Muscular branches
of vertebral artery

첫째목신경의 뒤가지
Posterior rami
of 1st cervical nerve

뒤통수동맥의 내림가지
Descending branch
of occipital artery

시작점	**위머리빗근** : 첫째목뼈(고리뼈)의 가로돌기
	아래머리빗근 : 둘째목뼈(중쇠뼈)의 가시돌기

정지점	**위머리빗근** : 뒤통수뼈의 아랫목덜미선에서 윗부분
	아래머리빗근 : 첫째목뼈(고리뼈)의 가로돌기

신경지배	**위머리빗근** : 첫째목신경 뒤가지의 근육가지
	아래머리빗근 : 첫째~둘째목신경 뒤가지의 근육가지

작 용	**위머리빗근** : 머리 펴기와 가쪽돌리기
	아래머리빗근 : 중쇠뼈 치아돌기부위에서 머리뼈와 고리뼈를 돌린다.

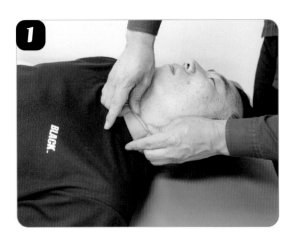

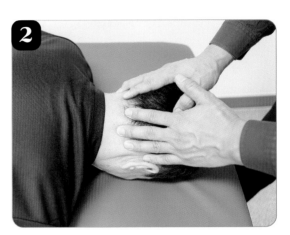

66

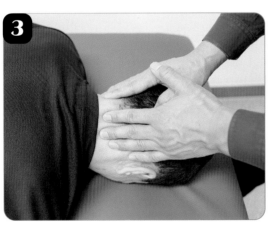

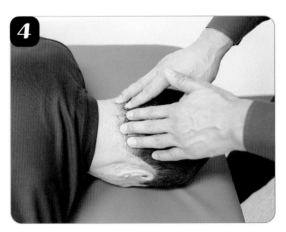

1. 치료사는 후두부위 상항선 중심에서 2cm에 붙어 있는 상두사근을 생각하며 촉지한다.

2. 치료사는 하부 목에서부터 상부 후두상한선까지 근막을 끌고 들어와 고정한다.

3. 치료사는 하부로 약한 저항을 주고 고객은 목을 신전하라고 지시한다.

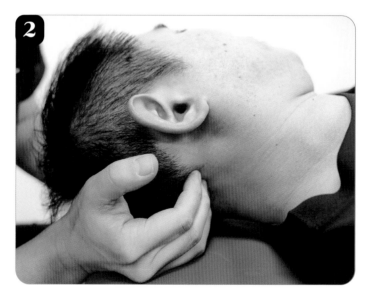

1. 치료사는 풍지혈(경락혈)주위로 엄지를 이용하여 접근한다.

2. 치료사는 앞쪽 안와 부위로 압력을 가하여 근긴장이 완화될 때까지 기다린다.

3. 치료사는 검지, 중지를 이용하여 후두부의 가쪽부터 지렛대를 걸듯이 걸어 놓고 고객의 목을 반대측에서 동측회전을 유도하면서 천천히 근긴장 완화를 유도하면서 근육을 풀어준다.

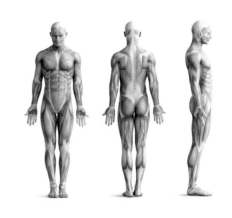

11

목빗근(흉쇄유돌근)
Sternocleidomastoid m.

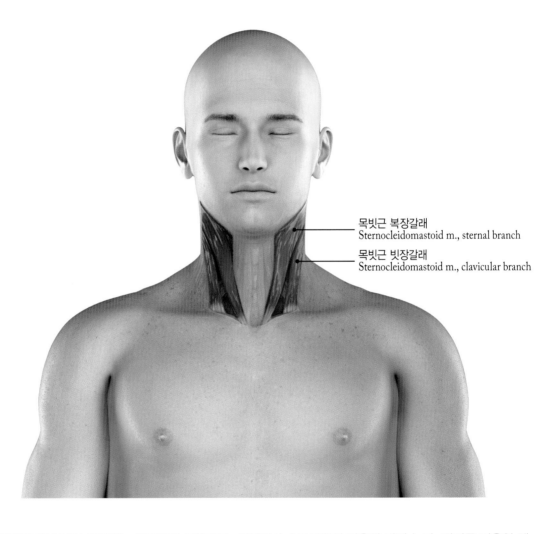

목빗근 복장갈래
Sternocleidomastoid m., sternal branch

목빗근 빗장갈래
Sternocleidomastoid m., clavicular branch

- 목옆을 비스듬히 주행하는 띠모양의 근육으로, 인체에서 속근섬유의 비율이 가장 높다. 머리를 기울일 때 빠르게 반응하는 근육이다.

- 목빗근이 긴장되면 온목동맥(총경동맥)과 속목정맥(내경정맥)을 압박해서 머리와 목부위로의 혈액순환을 원활하지 않게 하여 폐색이 생기고, 2차적으로 심한 두통과 안면부통증·부종을 일으킨다.

- 목동맥과 척추동맥은 뇌로 올라가는 윌리스고리(circle of Willis)를 형성한다(뇌혈압에 직접적인 연관).

- 옛이름인 흉쇄유돌근이 '흉골＋쇄골＋유양돌기'에 걸쳐 있기 때문에 붙여진 이름이다.

- 머리와 목부위(두경부)와 등세모근(승모근)을 안정시키고 고정시킨다.
- 이비인후과적인 모든 질환에 연관된 근육이다.
- 얼굴변이(광대뼈, 사각턱, 얼굴축소)에 관여한다.
- 뇌혈액순환에 관여한다(목동맥).
- 눈가의 주름, 얼굴의 피부 문제 등에 관여한다.
- 두통과 목주변의 통증에 관여한다.

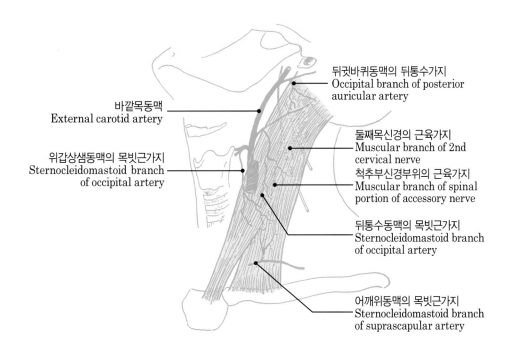

바깥목동맥
External carotid artery

위갑상샘동맥의 목빗근가지
Sternocleidomastoid branch
of occipital artery

뒤귓바퀴동맥의 뒤통수가지
Occipital branch of posterior
auricular artery

둘째목신경의 근육가지
Muscular branch of 2nd
cervical nerve

척추부신경부위의 근육가지
Muscular branch of spinal
portion of accessory nerve

뒤통수동맥의 목빗근가지
Sternocleidomastoid branch
of occipital artery

어깨위동맥의 목빗근가지
Sternocleidomastoid branch
of suprascapular artery

시작점　　**복장머리** : 복장뼈자루의 위모서리

　　　　　　빗장갈래 : 빗장뼈의 안쪽 3분의 1

정지점　　관자뼈 꼭지돌기 · 뒤통수뼈 위목덜미선의 가쪽

신경지배　척추부신경(뇌신경 XI) · 목신경얼기(경신경총)

작용　　• 머리를 반대쪽으로 비스듬히 돌려주고, 머리 젖히기와 아래로 당기기
　　　　　• 복장뼈와 빗장뼈 들어올리기

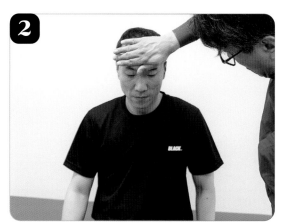

70

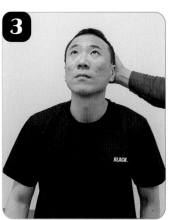

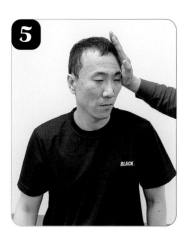

1. 치료사는 흉쇄유돌근 근육의 중간부위를 촉지한다.

2. 치료사는 고객의 머리를 뒤쪽으로 미는 저항감을 주고 이때 고객에게는 고개를 앞으로 숙이라고 지시한다.

3. 이때의 힘은 고객과 치료사가 1:1 비율로 맞추어 정적 수축을 유도한다.

4. 3초에서 5초의 근육 수축 이후에 이완한다.

5. 3~5회 반복을 하면 근긴장이 완화된 것을 볼 수 있다.

Tip

흉쇄유돌근의 굴곡, 측굴, 회전, 신전 방향성을 생각하면서 위와 같은 방법으로 각각 방향성 마다 1:1의 저항운동(등척성 수축)을 유도하면서 근긴장 완화 및 근육의 운동성 및 목의 가동성을 회복하게 한다.

수기재활법

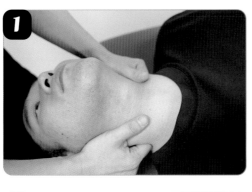

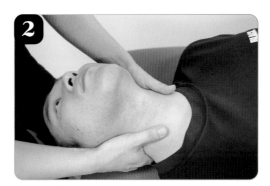

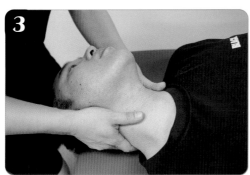

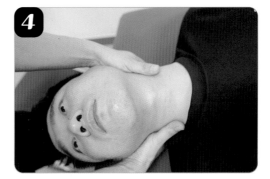

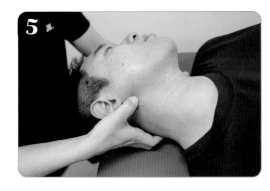

1. 치료사는 흉쇄유돌근 양쪽 근육의 중간부위를 가벼운 압력을 적용하여 잡고 있는다.

2. 치료사는 흉쇄유돌근의 흉골지, 쇄골지 부위의 근위부를 가벼운 압력으로 잡고 고객의 흉쇄유돌근의 근긴장이 완화될 때까지 충분히 기다려 준다.

3. 치료사는 고객의 목을 15~30도 대각선 방향으로 스트레치하는 동시에 흉쇄유돌근에 가볍운 압력을 적용하여 근육-근막의 탄력성을 증진 시키는 동시에 근긴장 완화를 유도한다.

4. 치료사는 흉쇄유돌근의 유양돌기 부와 흉골지, 쇄골지 부위를 엄지를 이용하여 뭉친 근막을 풀어준다.

앞·중간·뒤목갈비근(전·중·후사각근)
Scalenus anterior / medius / posterior m.

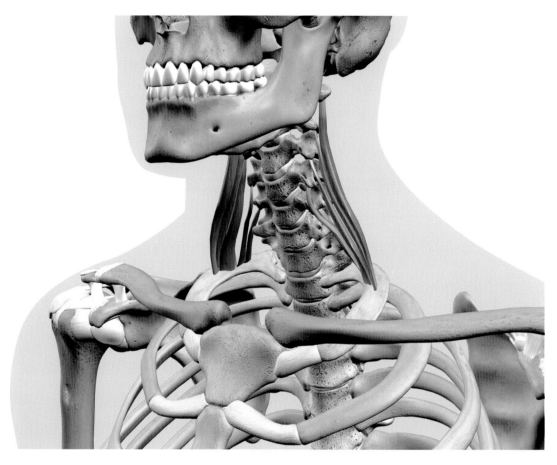

- 목갈비근(6개 모두)은 첫째·둘째갈비뼈를 끌어올리고 가슴우리를 넓혀 들숨을 보조하는 근육이다. 앞목갈비근과 중간목갈비근 사이의 틈을 목갈비근틈새라고 한다.

- 목갈비근은 크고 고정되어 있지 않은 안테나탑을 지탱하는 케이블과 같은 방법으로 머리와 목부위를 안정시키고 있다.

- 이들 근육은 갈비뼈에 부착되기 때문에 근육수축에 의하여 갈비뼈를 위쪽으로 들어올려 들숨을 보조하는 기능을 한다.

- 만성폐색성허파질환을 앓고 있는 환자는 목갈비근의 활동이 두드러지는 경우가 있다.

- 목갈비근의 옛이름인 사각근은 '목을 측면으로 기울이게 하는 근육'이란 뜻인데, 이때 기울어지는 각도는 예각(직각보다 작은 각)과 둔각(90도 이상 180도 이하의 각)의 중간 정도이다.

- 앞목갈비근(전사각근)과 중간목갈비근(중사각근) 사이의 공간에는 위팔신경얼기(상완신경총)와 빗장밑동맥(쇄골하동맥)이 나와서 빗장밑근으로 내려간다.
- 목갈비근에 이상이 있으면 앞톱니근(전거근)에 이상을 일으켜 앞톱니근의 통증을 유발한다.
- 목갈비근의 이상 때문에 5번목뼈에서 나오는 등쪽어깨신경(견갑배신경)에 이상이 생기면 마름근(능형근) 주변에 통증이 유발된다.
- 윗몸에 발생하는 대부분의 문제는 목갈비근을 주시해야 한다.
- 첫째와 둘째갈비뼈를 고정하여 강한 흡기 시에는 갈비뼈를 위로 들어 호흡을 돕는다.
- 팔의 저림 · 마비 · 통증 등의 문제는 목갈비근을 먼저 풀어주고 해결해야 한다.

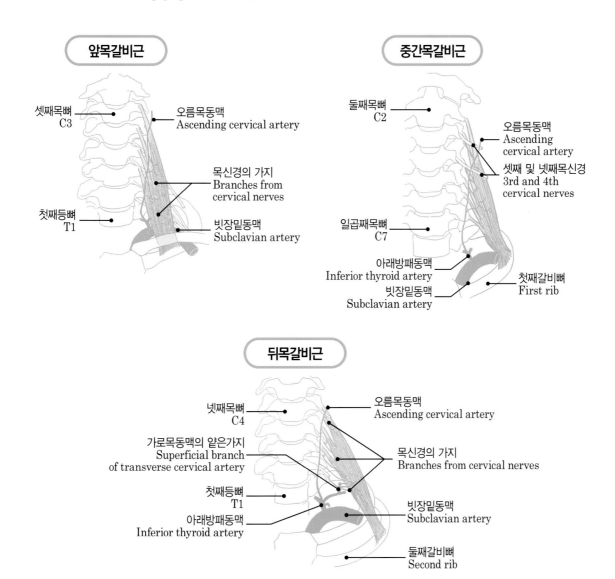

앞목갈비근

셋째목뼈
C3

오름목동맥
Ascending cervical artery

목신경의 가지
Branches from
cervical nerves

첫째등뼈
T1

빗장밑동맥
Subclavian artery

중간목갈비근

둘째목뼈
C2

오름목동맥
Ascending
cervical artery

셋째 및 넷째목신경
3rd and 4th
cervical nerves

일곱째목뼈
C7

아래방패동맥
Inferior thyroid artery

빗장밑동맥
Subclavian artery

첫째갈비뼈
First rib

뒤목갈비근

넷째목뼈
C4

오름목동맥
Ascending cervical artery

가로목동맥의 얕은가지
Superficial branch
of transverse cervical artery

목신경의 가지
Branches from cervical nerves

첫째등뼈
T1

아래방패동맥
Inferior thyroid artery

빗장밑동맥
Subclavian artery

둘째갈비뼈
Second rib

	앞목갈비근 : C3~C6 척추뼈몸통의 가로돌기앞결절
	중간목갈비근 : C2~C7 척추뼈몸통의 가로돌기뒤결절
	뒤목갈비근 : C4~C6 척추뼈몸통의 가로돌기뒤결절

정지점 **앞목갈비근** : 첫째갈비뼈의 앞목갈비근결절(리스프랑결절)

중간목갈비근 : 첫째갈비뼈밑 동맥고랑 뒤쪽융기

뒤목갈비근 : 둘째갈비뼈 가쪽

신경지배 **앞목갈비근** : 목신경얼기 및 팔신경얼기의 가지(C4~C6)

중간목갈비근 : 목신경얼기 및 팔신경얼기의 가지(C2~C8)

뒤목갈비근 : 팔신경얼기의 가지(C8)

작 용 **앞·중간목갈비근** : 첫째갈비뼈 올리기, 갈비뼈를 고정시킨 채로 목 굽히기와 옆굽히기

뒤목갈비근 : 둘째갈비뼈 올리기, 갈비뼈를 고정시킨 채로 목 굽히기와 옆굽히기

74

재활 근육 운동법

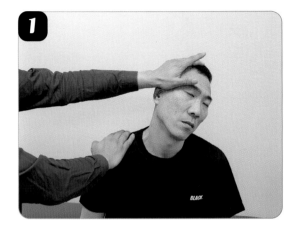

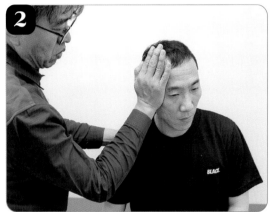

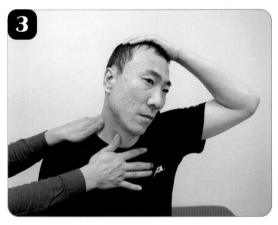

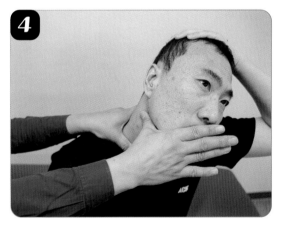

1. 치료사는 고객의 목을 15~30도 방향으로 한손으로 어깨를 고정하고 머리를 이용하여 사각근이 늘어나는 최대 위치에서 고정한다.

2. 치료사는 고객에게 치료사의 힘에 대항하여 머리를 사선방향으로 앞으로 고객을 숙이라고 지시한다.

3. 치료사는 고객의 사각근을 하부에서 고정한 후 고객 스스로 머리를 잡고 45도 대각선 방향으로 목을 스트레치 하라고 지시한다.

4. 치료사는 고객의 목을 스트레치한 상태에서 사각근 근막을 이완하면서 전사각근과 중사각근 사이 근막을 이완 하면서 신경 통로를 열어준다.

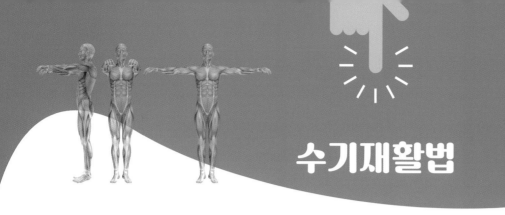
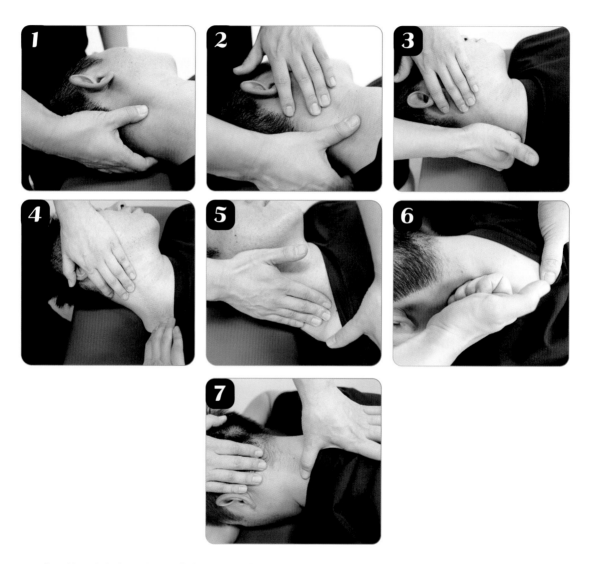

1. 치료사는 전사각근 상부 근육을 엄지로 촉지하고 가벼운 압력을 가한다.
2. 치료사는 전사각근 중사각근 근육-근막을 이완하면서 고객의 쇄골정중선을 따라 간다.
3. 치료사는 전체적으로 근육-근막을 이완하기 위하여 주먹을 쥐고 사각근 근막을 전체적으로 이완한다.
4. 치료사는 사각근의 경추부와 쇄골부위를 고정하고 가벼운 스트레치를 적용한다.
5. 치료사는 선택적으로 쇄골부위를 전체적으로 근육 근막을 이완하여 신경 흐름과 사각근의 짧아져 있
   는 근육-근막을 늘려 준다.
6. 고객의 엎드려 누운자세에서 후사각근의 근육 근막을 스트레치 해준다.

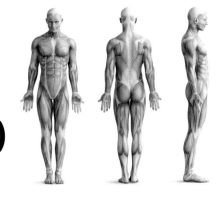

13

속 · 바깥갈비사이근(내 · 외늑간근)
Internal / external intercostal m.

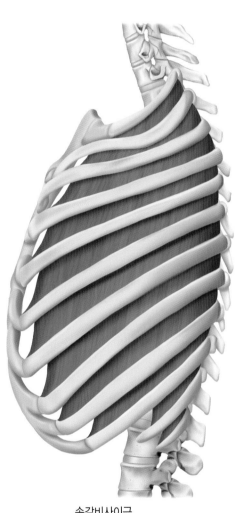

속갈비사이근
Internal intercostals m.

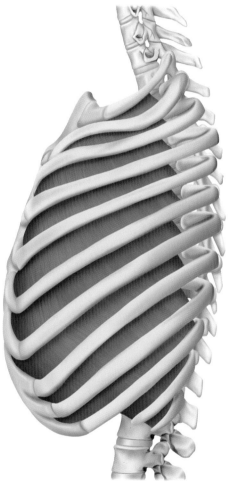

바깥갈비사이근
External intercostals m.

- 속갈비사이근(내늑간근)은 바깥갈비사이근의 깊은부위에 있으며, 근육섬유의 주행은 바깥갈비사이근과 반대방향이다.
- 바깥갈비사이근(외늑간근)은 갈비사이공간을 채우는 가시사이근육 중에서 가장 표면에 있다.

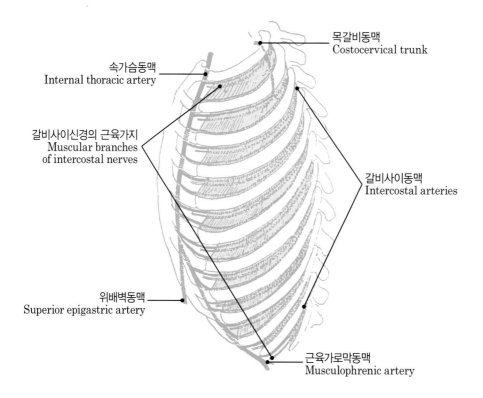

속가슴동맥
Internal thoracic artery

목갈비동맥
Costocervical trunk

갈비사이신경의 근육가지
Muscular branches
of intercostal nerves

갈비사이동맥
Intercostal arteries

위배벽동맥
Superior epigastric artery

근육가로막동맥
Musculophrenic artery

시작점 **속갈비사이근** : 위쪽 갈비뼈 아래모서리, 갈비연골
바깥갈비사이근 : 위쪽 갈비뼈 아래모서리

정지점 **속갈비사이근** : 아래쪽 갈비뼈 아래모서리, 갈비연골
바깥갈비사이근 : 아래쪽 갈비뼈 아래모서리

신경지배 **속갈비사이근** : 갈비사이신경(T1~T11)
바깥갈비사이근 : 갈비사이신경(T1~T11)

작 용 **속갈비사이근** : 갈비뼈 내리기, 가슴우리 좁히기(강제로 숨을 내쉴 때)
바깥갈비사이근 : 갈비뼈 올리기, 가슴우리 넓히기(가슴 호흡 시)

재활 근육 운동법

1. 치료사는 늑골 사이사이 늑간을 가볍게 촉지한다.

2. 치료사는 고객에게 호흡을 크게 들이 쉬라고 지시한다.

3. 치료사는 고객이 호흡을 할때 늑간 사이를 최대 확장할 수 있도록 어시스트 하면서 흉곽의 최대 확장 을 돕는다.

80

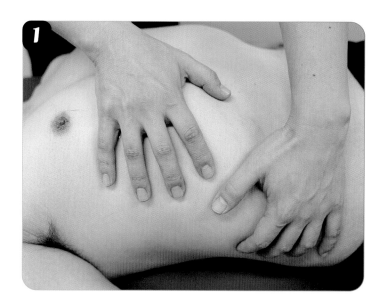

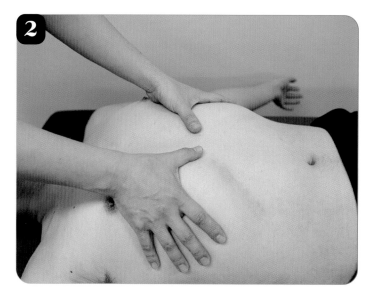

1. 치료사는 손가락을 한손은 늑골 사이사이를 촉지하며, 한손은 하부늑골을 촉지한다.

2. 치료사는 고객에게 숨을 크게 들이 쉬라고 하면서 늑골의 상부 확장을 최대로 도모한다.

3. 치료사는 양쪽 흉곽을 촉지한다.

4. 치료사는 고객이 흡기하는 동안 최대 확장을 함께 도모한다.

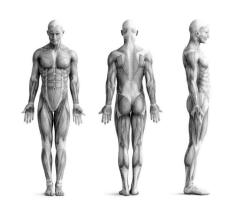

14.

배곧은근(복직근)
Rectus abdominis m.

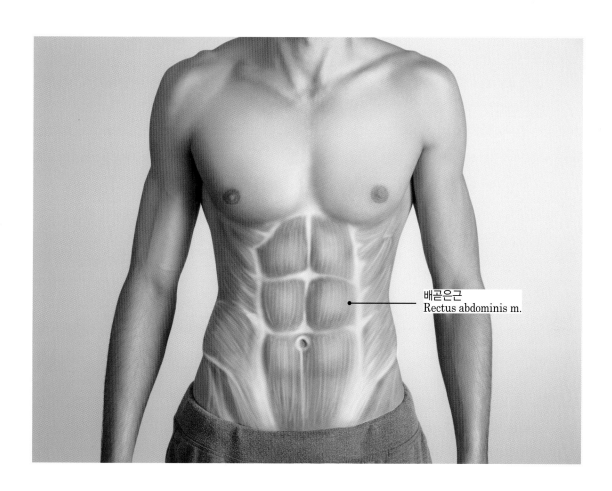

배곧은근
Rectus abdominis m.

- 배곧은근은 배(복부) 앞면의 양쪽을 세로로 주행하는 편평하고 긴 근육으로, 배부위의 근육을 3~5마디로 나누는 여러 힘살로 되어 있다.
- 배곧은근은 배곧은근집이라는 백색선의 힘줄집에 의하여 좌우로 분리된다.
- 이 근육은 가로로 주행하는 강인한 결합조직으로, 좌우의 배근육군섬유를 연결시킨다. 또한 3개의 나눔 힘줄이 배곧은근 위를 가로지른다. 이것에 의하여 배부위에 물결무늬모양이 생긴다.
- 배곧은근은 가슴성형 시에 주로 사용되는 근육이다.

- 배(복부) 전반에 긴장을 주어 척주굽힘근육군의 움직임에 영향을 주며, 가슴우리를 아래로 당기고 골반은 위로 당기는 척추의 굽힘근으로 작용한다.
- 배곧은근은 내장을 보호하며 호흡작용을 돕고, 척추의 굽히기와 배의 압력을 조정한다. 약하면 허리의 통증을 유발할 수 있다.
- 배곧은근이 긴장되면 압통으로 장기에 영향을 주어 내장질환을 유발할 수도 있다.
- 미용 관점에서 배근육이 약화되면 배가 나오고 골반이 앞으로 전위되어 보기 싫은 모습이 된다. 따라서 복부강화운동은 미의 관점에서도 중요하다.
- 임신 시에 위·좌·우로 늘어난 배곧은근이 원래상태로 돌아오지 못하면 '복직근이개증(배곧은근분리증)'이 되어버린다.

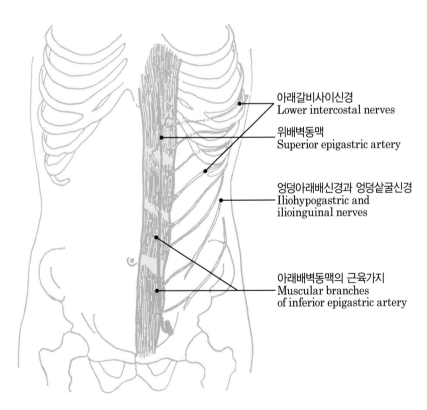

아래갈비사이신경
Lower intercostal nerves

위배벽동맥
Superior epigastric artery

엉덩아래배신경과 엉덩샅굴신경
Iliohypogastric and
ilioinguinal nerves

아래배벽동맥의 근육가지
Muscular branches
of inferior epigastric artery

시작점　두덩뼈능선, 두덩뼈 결합 앞쪽

정지점　칼돌기, 다섯째~일곱째갈비연골

신경지배　갈비사이신경(T5~T12), 장골하복신경(엉덩아랫배신경)

작용　가슴우리 앞쪽벽 내리기, 몸통 굽히기, 골반 뒤기울이기, 배속공간 속의 압력 증대

재활 근육 운동법

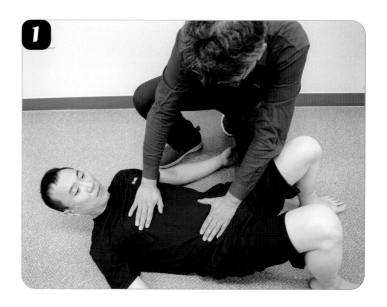

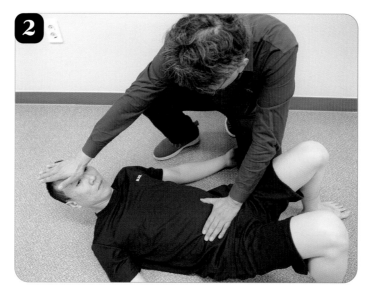

1. 치료사는 복직근의 상부와 하부를 촉지하여 안정성을 제공한다.
2. 치료사는 고객에게 고개를 들어 복직근의 수축을 유도한다.
3. 치료사는 마지막 굴곡범위에서 하부 안정성 바탕위에 고객의 머리에 저항을 주어 복직근의 마지막 수축을 강하게 유도할 수 있다.

수기재활법

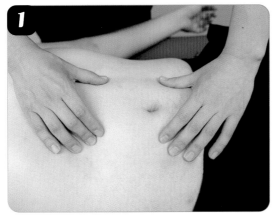

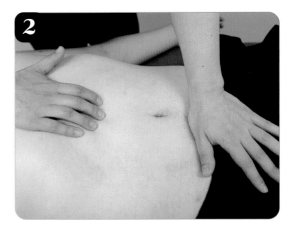

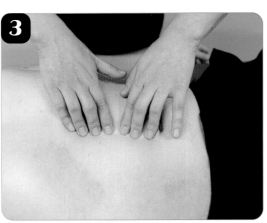

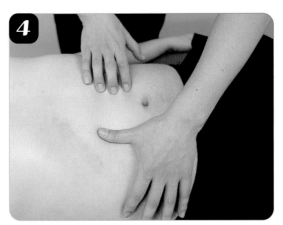

1. 치료사는 복직근의 양쪽 외측연을 가볍게 잡아주며 수직 위로 들어 올려 준다.

2. 치료사는 복직근의 검상돌기 방향과 아래 치골 방향으로 근육-근막 이완을 유도한다.

3. 치료사는 고객의 복직근의 중간 백색선 부위에서 양쪽으로 근육을 이완하여 복부내압을 조절할 수 있다.

배속 · 바깥빗근(내 · 외복사근)
External / internal obliquus abdominis m.

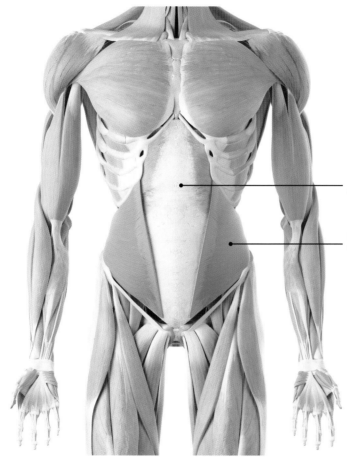

배바깥빗근
Obliquus externus abdominis m.

배속빗근
Obliquus internus abdominis m.

- 배속빗근은 배바깥빗근을 덮으며, 옆구리 가장 가쪽의 중간층에 있다.
- 배속빗근의 주행은 위-안쪽방향(엉덩뼈능선에서 복장뼈)을 향하고, 배바깥빗근과는 직각에 가까운 주행을 한다. 주요기능은 수축하는 방향으로 몸통을 돌리는 것이다.
- 배바깥빗근은 배 옆쪽면에 있는 근육 중에서 가장 크다.
- 배바깥빗근은 앞톱니근(전거근)과 연결되고, 앞톱니근은 마름근(능형근)과 위쪽으로 연결되며, 아래로는 넙다리근막긴장근(대퇴근막장근)과 엉덩정강근막띠(장경인대)와 연결되어 O다리와 관련된 근육으로 표현된다. 또한 배바깥빗근은 넓은등근(광배근)과 연결되고 다리의 넙다리빗근(봉공근)과 연관되어 X다리에도 관여한다. 복부를 이루는 배속빗근(내복사근), 배곧은근(복직근), 배가로근(복횡근)과 더불어 복부의 근육을 이룬다.

- 골프, 야구 등의 격렬한 스윙 동작은 배바깥빗근의 통증을 유발할 수 있다. 또 근육이 충분히 이완되지 않는 상태에서 몸통을 빠르게 돌리면 배빗근을 당겨 갈비뼈골절을 일으킬 수도 있다.
- 배바깥빗근이 만성적으로 긴장과 수축상태에 있으면 내장질환성 통증을 일으키기도 한다.
- 배바깥빗근 위쪽에는 위장이 있어, 압통이 발생하면 속쓰림과 명치끝에 국소적인 심부통증을 유발하여 위장병을 의심하게 하기도 한다.

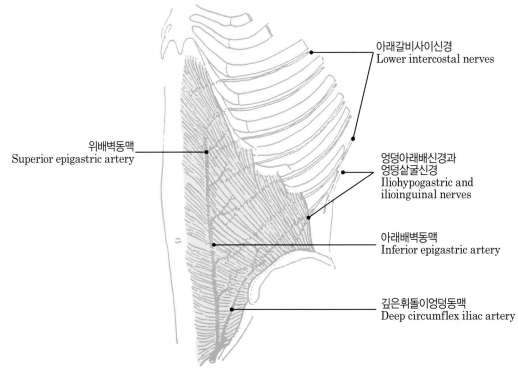

위배벽동맥
Superior epigastric artery

아래갈비사이신경
Lower intercostal nerves

엉덩아래배신경과
엉덩샅굴신경
Iliohypogastric and
ilioinguinal nerves

아래배벽동맥
Inferior epigastric artery

깊은휘돌이엉덩동맥
Deep circumflex iliac artery

시작점 **배속빗근** : 샅고랑인대(서혜인대), 엉덩뼈능선(장골릉)의 중간선, 가슴허리근막 깊은 부위

배바깥빗근 : 다섯째~열둘째갈비뼈의 바깥면

정지점 **배속빗근** : 열째~열둘째갈비뼈 아래모서리, 배곧은근집

배바깥빗근 : 엉덩뼈능선의 가쪽, 샅고랑인대, 배곧은근집앞쪽

신경지배 **배속빗근** : 갈비사이신경(T5~T12), 엉덩아랫배신경(장골하복신경, T1~L1), 엉덩샅고랑신경(L1~L2)

배바깥빗근 : 갈비사이신경(T5~T12), 엉덩아랫배신경(L1)

작 용 **배속빗근** : 몸통 굽히기 · 옆굽히기 · 같은쪽으로 돌리기, 가슴우리 내리기, 배속공간 속의 압력 확대

배바깥빗근 : 몸통 굽히기 · 옆굽히기 · 같은쪽으로 돌리기, 배속공간 속의 압력 증대

1. 치료사는 고객의 복부에 손을 대어 안정성을 제공한다.

2. 치료사는 고객에게 머리를 굴곡 회전 대각선 방향으로 들어 올리라고 한다.

3. 치료사는 마지막 범위에서 고객의 어깨에 저항을 주어 외복사근의 수축을 강하게 유도할 수 있다.

수기재활법

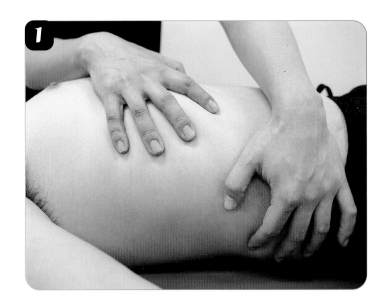

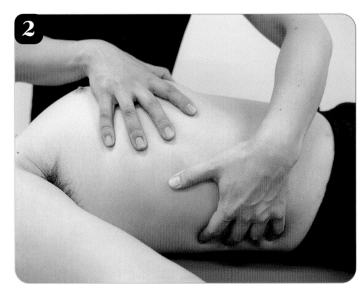

1. 치료사는 한손은 상부 늑골 대각선 사선 방향으로 근육을 잡고 한손는 하부 흉곽을 잡아준다.
2. 치료사는 고객의 흡기동작에 맞추어 최대 외복사근의 최대 확장을 유도할 수 있다.

16.

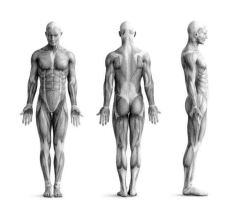

배가로근(복횡근)
Transversus abdominis m.

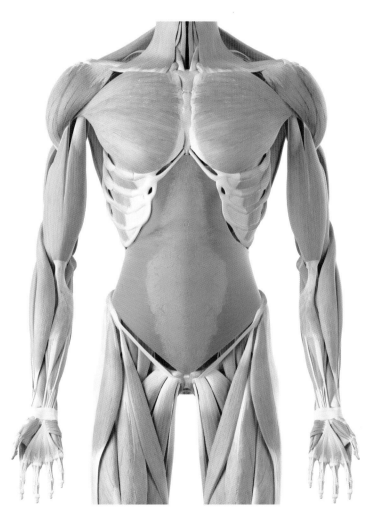

- 배가로근은 옆구리의 가장 깊은부위에서 배속빗근을 덮고 있다.

- 배가로근은 등세모근(승모근)과 연관되어 체형에 중대한 영향을 준다.

- 배가로근은 골반밑근육군, 뭇갈래근(다열근)과 더불어 인체의 체형을 잡아주는 코어(core)근육이다.

- 코어(core)근육은 인체의 기본 체형을 잡아주기 때문에 기본적인 체형관리 근육이다.

- 이 근육은 복압을 증가시키고 흡기와 호기를 보조하며, 외상 시에 내장을 보호하는 기능이 있다.

- 배가로근은 복부 내장을 압박하여 허리를 날씬하게 만들어주고 힙을 위쪽으로 끌어올려주기 때문에 코르셋(corset)근육이라고도 부른다.

- 배가로근이 약화되면 내장의 무게를 견디지 못해 배가 앞으로 튀어나오고 중력의 영향을 받아 아래로 처지면서 대장과 소장을 압박하여 연동운동을 방해한다. 이는 소화과정을 방해하여 내장의 운동력을 떨어뜨려 내장사이막(장간막)에 지방이 쌓이는 원인이 된다.
- 배속빗근과 마찬가지로 근육수축에 의하여 등허리근막을 끌어당긴다. 그 결과 등허리근막의 긴장을 높이고, 짐을 들어올릴 때 허리의 안정을 지지한다.

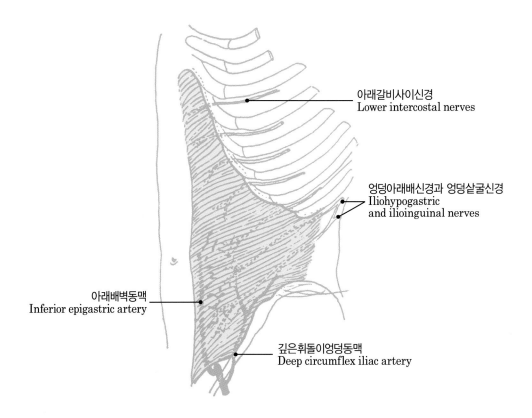

아래갈비사이신경
Lower intercostal nerves

엉덩아래배신경과 엉덩샅굴신경
Iliohypogastric
and ilioinguinal nerves

아래배벽동맥
Inferior epigastric artery

깊은휘돌이엉덩동맥
Deep circumflex iliac artery

시작점	여섯째~열둘째갈비뼈, 가슴허리근막 깊은부위, 샅고랑인대, 엉덩뼈능선
정지점	배곧은근집, 백색선, 두덩뼈
신경지배	갈비사이신경(T7–T12), 엉덩아랫배신경(T12~L1), 엉덩샅고랑신경(L1)
작 용	• 아래쪽 갈비뼈를 끌어내리기 • 배속공간 속의 압력 증대

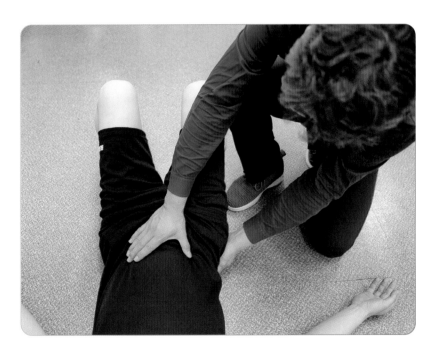

1. 치료사는 한손은 치골 상부 하부복부에 손을 대고 한손은 천골아래 부분에 손을 댄다.
2. 치료사는 고객에게 꼬리뼈를 말아 올리고 척추를 바닥에 대는 동작을 유도하면서 복횡근의 수축을 유
   도한다.

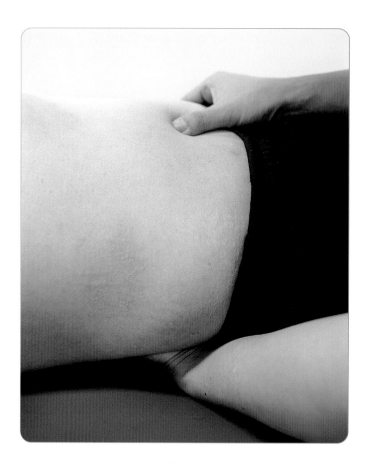

1. 치료사는 한손은 치골 상부 하부복부에 손을 대고 한손은 천골아래 부분에 손을 댄다.
2. 치료사는 고객에게 꼬리뼈를 말아 올리고 척추를 바닥에 대는 동작을 유도하면서 복횡근의 수축을 유도한다.

※ 이때 치료사가 최대한 운동 방향성을 가이드 하면서 동작을 익숙하게 만들어 주고 난 후에 고객 스스로 할 수 있도록 유도한다.

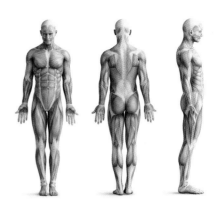

17.

허리네모근(요방형근)
Quadratus lumborum m.

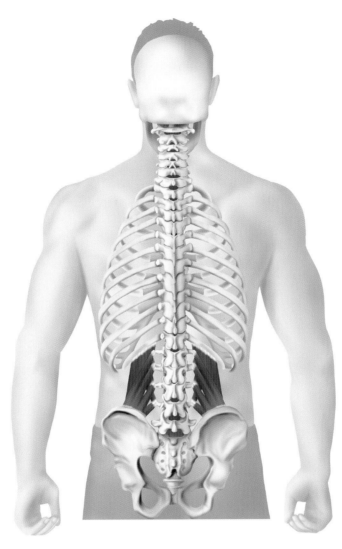

- 허리네모근은 허리뼈 안쪽의 등허리근막(요배근막) 앞에 있는 직사각형의 근육이다. 골반을 끼고 엉덩관절(고관절)을 위로 올려주므로 '엉덩관절올림근'이라고도 한다.
- 허리네모근의 운동은 '엉덩이 치켜들기(hip hiker)'로 알려져 있으며, 한쪽이 수축할 때에는 수축하는 쪽의 골반을 들어올린다.
- 엉덩관절굽힘근의 근력이 저하 또는 마비된 환자에게는 허리네모근을 수축시켜 한쪽 골반을 위쪽으로 올리도록 지도한다.

- 보행 시에 발을 앞으로 전진시키기 위해서는 이 허리네모근의 기능을 이용하여 발을 지면에서 들어올린다.
- 바닥에 앉은 상태에서 옆으로 굽혀 물건을 주워 올릴 때 사용된다.
- 바지 한쪽이 끌릴 때에는 이 근육의 상태부터 확인해야 한다.
- 척추 · 갈비뼈 · 골반에 붙어 있어서 허리통증을 일으키는 중추적인 역할을 하며, 허리네모근에 이상이 있으면 통증을 일으켜 돌아눕지 못하게 된다.
- 허리를 45도 이상 숙이면 우리 몸의 척주세움근은 허리를 지탱하지 못하고, 그 이상의 각도로 움직일 때에는 척주 주변과 근육과 인대들이 버티어준다. 그러나 일정 각도를 벗어나면 인대들이 상해를 입는다.
- 일반적으로 허리네모근(요방형근) · 아래뒤톱니근(하후거근) · 중간볼기근(중둔근)과 척주 부위의 근육들이 허리 통증을 일으키는 주요인이다. 그리고 이차성 요통근육이 중간볼기근이다.
- 허리네모근의 일차적 대항근은 반대쪽 허리네모근이고, 두 번째가 엉덩허리근이다.
- **몸통을 펴는 근육** : 허리네모근(요방형근), 척주세움근(척주기립근), 넓은등근(광배근)
- **몸통을 가쪽으로 굽히는 근육** : 허리네모근(요방형근), 같은 쪽의 척주세움근(척주기립근), 배빗근(복사근)

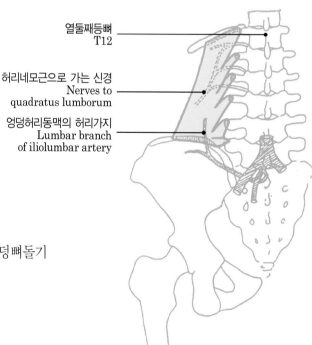

열둘째등뼈
T12

허리네모근으로 가는 신경
Nerves to
quadratus lumborum

엉덩허리동맥의 허리가지
Lumbar branch
of iliolumbar artery

시작점 엉덩뼈능선, 엉덩허리인대

정지점 열둘째갈비뼈, L1~L4의 엉덩뼈돌기

신경지배 허리신경얼기

작 용
- 허리 펴기 · 옆굽히기
- 열둘째갈비뼈 내리기

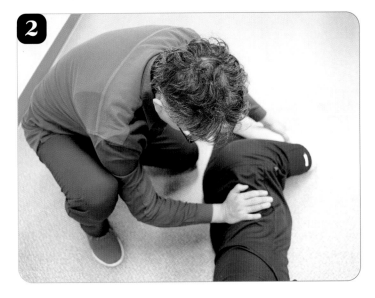

1. 치료사의 한손은 요방형근에 직접적으로 촉지한 후 고객의 다리를 구부리게 한다.
2. 치료사는 요방형근의 수축을 고객에게 인지 시키면서 다리를 들어올려 요방형근의 수축을 유도할 수 있다.

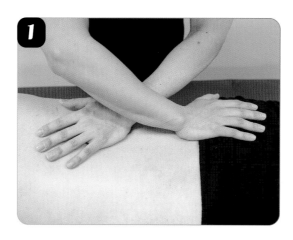

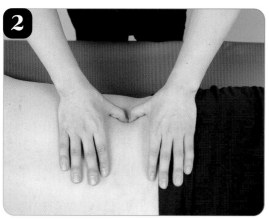

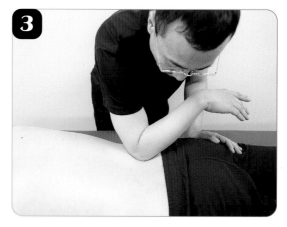

1. 치료사는 요방형근의 척추부위–하부늑골 부위를 한손으로 가볍게 고정하고 한손은 장골 방향으로 근육–근막의 신장을 유도한다.

2. 치료사의 엄지를 이용하여 요방형근을 선택적인 압력을 주어 근긴장을 완화할 수 있다.

3. 치료사의 팔꿈치를 이용하여 요방형근 하부 근육을 잡고 근긴장을 완화할 수 있다.

18

머리·목널판근(두·경판상근)
Splenius capitis / cervicis m.

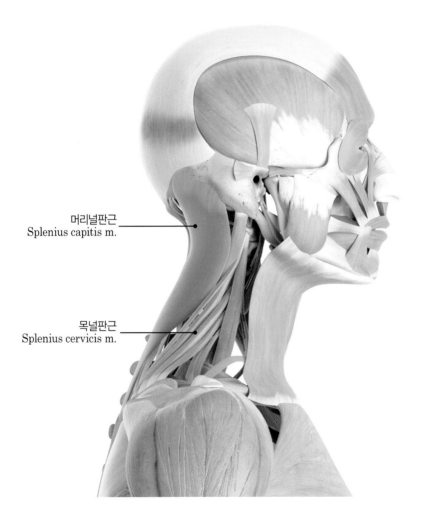

머리널판근
Splenius capitis m.

목널판근
Splenius cervicis m.

- 머리·목부위의 가장 깊은 부위에 있는 고유의 등근육이다. 이 근육들은 육안으로는 구별할 수 없으며 정지점에 의하여 판별하게 된다.
- 교통사고 시 채찍질손상(whiplash injury, 편타손상)이 자주 발생하는 근육이다.
- 뒤통수뼈(후두골)를 통한 뇌압에 영향을 준다(뇌압의 영향으로 두통이 발생함).
- 등세모근(승모근), 목빗근(흉쇄유돌근), 어깨올림근(견갑거근)에 영향을 주므로 같이 관리해야 한다.
- 거북목증후군의 발생에 일정 부분 영향을 미친다.

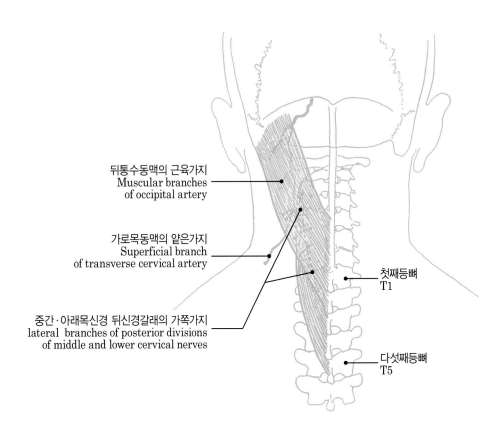

뒤통수동맥의 근육가지
Muscular branches
of occipital artery

가로목동맥의 얕은가지
Superficial branch
of transverse cervical artery

중간·아래목신경 뒤신경갈래의 가쪽가지
lateral branches of posterior divisions
of middle and lower cervical nerves

첫째등뼈
T1

다섯째등뼈
T5

시작점　**머리판상근** : C3~T3 척추뼈의 가시돌기, 목덜미인대
　　　　목판상근 : T3~T6 척추뼈의 가시돌기

정지점　**머리판상근** : 관자뼈의 꼭지돌기, 뒤통수뼈 위목덜미선의 가쪽
　　　　경판상근 : C1~C3 척추뼈의 가로돌기뒤결절

신경지배　척수신경의 뒤가지(C1~C5)

작 용　머리와 목부위 펴기 · 옆굽히기 · 돌리기

재활 근육 운동법

1. 고객을 엎드려 눕게 하고 치료사는 흉추5번 부위에 한손으로 안정감을 제공한다.
2. 고객의 목을 신전 방향으로 들어 올리라고 한다.
3. 치료사는 이때 가벼운 저항 또는 고객의 목을 들 수 있게 보조 해준다.
4. 고객의 목의 신전 15도 대각선 방향으로도 같은 방법으로 시행한다.

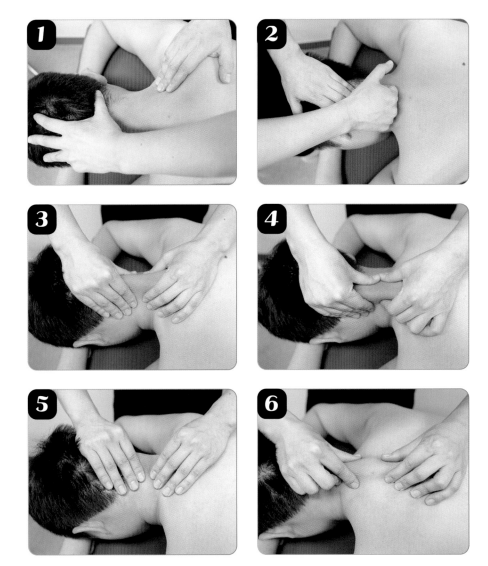

1. 치료사는 한손은 후두부위를 고정하고 한손은 견갑골 상각 방향으로 근육 근막을 신장한다.
2. 치료사의 한손은 후두부를 고정하고 한손은 주먹을 쥐고 중수지절 관절을 이용하여 척추의 극돌기 방향으로 근육 근막을 신장한다.
3. 치료사는 두판상근을 잡아서 들어 올려준다.

19.

팔이음뼈와 어깨를 움직이는 근육
Muscles that move shoulder girdle & shoulder

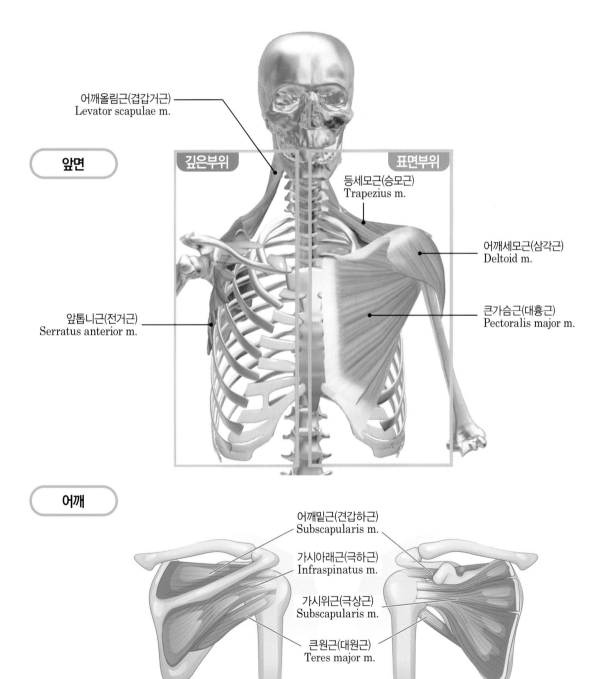

깊은부위

표면부위

어깨올림근(겹갑거근)
Levator scapulae m.

등세모근(승모근)
Trapezius m.

어깨세모근(삼각근)
Deltoid m.

앞톱니근(전거근)
Serratus anterior m.

큰가슴근(대흉근)
Pectoralis major m.

어깨

어깨밑근(견갑하근)
Subscapularis m.

가시아래근(극하근)
Infraspinatus m.

가시위근(극상근)
Subscapularis m.

큰원근(대원근)
Teres major m.

뒷면

앞면

팔이음뼈(shoulder girdle, 견갑대, 상지대)는 팔이 붙어 있는 부위로 빗장뼈 및 어깨뼈로 이루어져 있으며, 그것을 움직여주는 근육은 팔의 운동에 관여한다. 이른바 어깨의 운동은 어깨관절과 팔이음뼈(어깨뼈를 중심으로 한 부위)의 통합운동이다. 어깨관절만의 운동범위는 한정되어 있지만, 여기에 팔이음뼈의 운동이 더해짐으로써 광범위하고 여러 방향으로의 운동이 가능하다.

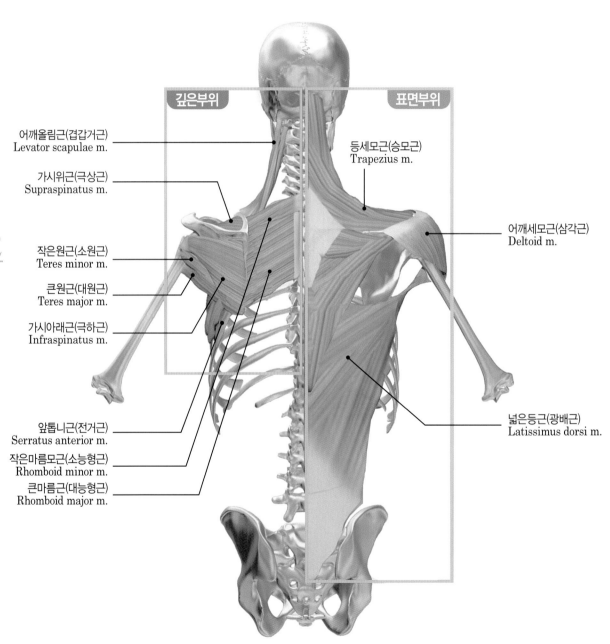

깊은부위

표면부위

어깨올림근(겹갑거근)
Levator scapulae m.

등세모근(승모근)
Trapezius m.

가시위근(극상근)
Supraspinatus m.

어깨세모근(삼각근)
Deltoid m.

작은원근(소원근)
Teres minor m.

큰원근(대원근)
Teres major m.

가시아래근(극하근)
Infraspinatus m.

넓은등근(광배근)
Latissimus dorsi m.

앞톱니근(전거근)
Serratus anterior m.

작은마름모근(소능형근)
Rhomboid minor m.

큰마름근(대능형근)
Rhomboid major m.

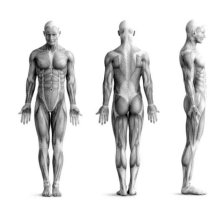

20

앞톱니근(전거근)
Serratus anterior m.

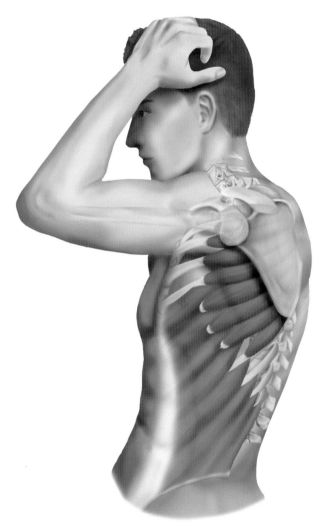

- 앞톱니근은 가슴 옆쪽에 있는 '톱니' 모양의 섬유들이 가슴우리(흉곽)와 어깨뼈 사이로 뻗어 있는 근육이다.
- 어깨뼈 앞면과 가슴우리의 가쪽면 사이를 지나면서 광범위하게 부착된 앞톱니근은 어깨의 위쪽돌리기와 앞쪽돌출을 가장 강력하게 일으킨다.
- 앞톱니근의 근력이 약화되면 미는 운동을 현저히 감퇴시킨다.
- 앞톱니근은 어깨를 위쪽으로 돌리는 운동을 하지만, 근력이 약화되면 어깨 굽히거나 벌리기에도 지장을 초래한다.

- 앞톱니근은 긴가슴신경(장흉신경, C5~C7)의 영향을 받으며, 마름근(능형근)과 배바깥빗근(외복사근)과 연결되어 있다.
- 옆구리살을 뺄 때 신경써야 하는 근육이며, 강하게 관리하면 가슴막(늑막)에 통증을 야기한다.
- 골프 스윙과 연관이 있고, 유방의 림프순환과도 연관이 있다.
- 앞톱니근에 이상이 있으면 심근경색 · 협심증과 비슷한 가슴통증을 호소할 수 있고, 큰 소리로 웃을 때 흔들림으로 통증이 올 수도 있다. 만성기침 · 호흡계통질환자들이 통증을 호소하는 근육이다.
- 코르셋이나 브래지어를 착용하면 앞톱니근에 압박을 주어 통증을 유발할 수 있다.

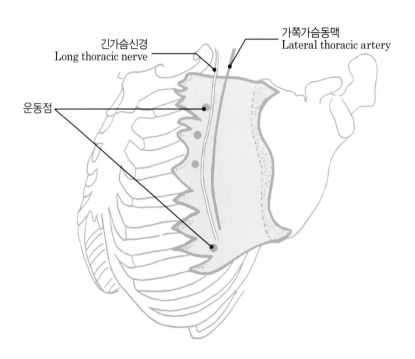

| 시작점 | 첫째~아홉째갈비뼈의 옆구리 가쪽면 |

| 정지점 | 어깨뼈 안쪽모서리 |

| 신경지배 | 긴가슴신경(C5~C7) |

작용	• 어깨 벌리기
	• 위쪽은 어깨 아래쪽으로 돌리기
	• 아래쪽은 어깨 위쪽으로 돌리기
	• 어깨를 고정시킨 상태에서 갈비뼈 올리기

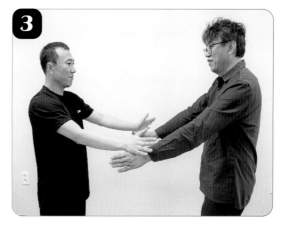

1. 치료사는 고객의 어깨를 110도 굴곡 시킨 후 팔을 쫙 편 상태를 유지하게 한다.

2. 치료사는 고객에게 팔을 바깥쪽으로 벌리라고 지시하면서 벌림에 대한 저항을 준다.

3. 같은 방법으로 70도, 40도 위치에서 시행한다.

106

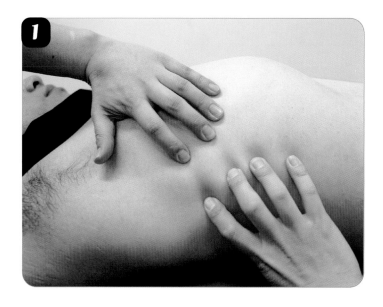

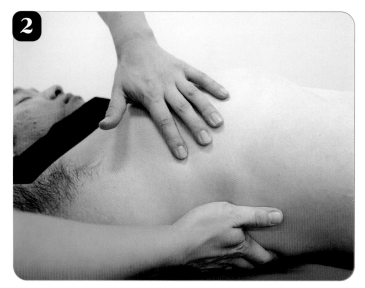

1. 치료사는 한손은 늑골 1번에서 5번 사이에 손을 펴서 촉지한다.
2. 치료사의 다른 한손은 하부늑골 사이사이에 손을 펴서 촉지한다.
3. 가벼운 압력으로 근막을 신장한다.

어깨올림근(견갑거근)
Levator scapulae m.

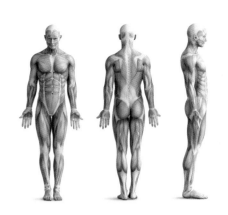

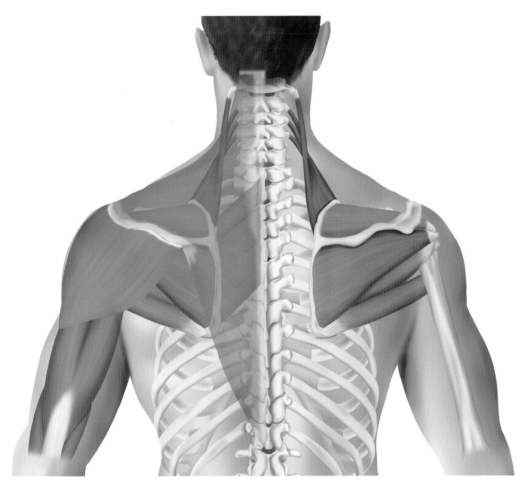

- 어깨올림근은 일명 '으쓱으쓱근육'으로 목 옆쪽에 있으면서 등세모근과 함께 움직이면서 '어깨결림'을 일으키는 근육으로, 잠을 잘못 잤을 때 통증을 일으킨다.
- 마름근(능형근)과 더불어 등쪽어깨신경(견갑배신경)이 지배한다(C5).
- 어깨올림근(견갑거근)이 긴장되면 목근육의 수축으로 사경(기운목)과 목주변 근육의 경직이 올 수 있다.
- 어깨올림근에 이상이 있으면 목을 뒤쪽으로 돌리기 힘들어 몸 전체를 돌려 뒤쪽을 향하는 동작을 하게 된다. 이때 자신도 모르게 아픈 어깨에 손을 올려 주무르는데, 이곳이 바로 어깨올림근의 통점이다.
- 옆으로 자는 습관과 반복적인 기침, 또는 전화기를 목과 귀로 지탱한 채 통화하는 습관을 가진 사람에게서 문제가 자주 발견된다.

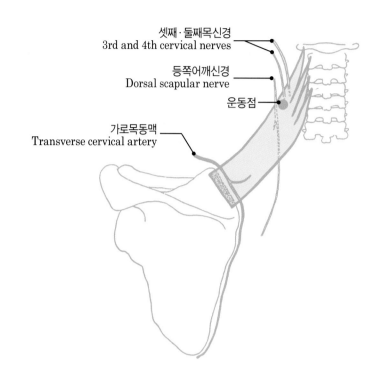

셋째·둘째목신경
3rd and 4th cervical nerves

등쪽어깨신경
Dorsal scapular nerve

운동점

가로목동맥
Transverse cervical artery

시작점	첫째~넷째목뼈의 가로돌기
정지점	어깨뼈 위모서리, 어깨뼈 안쪽모서리 위쪽
신경지배	등쪽어깨신경(셋째~다섯째목뼈의 척수신경)
작 용	• 어깨 올리기 • 어깨 아래쪽돌리기

재활 근육 운동법

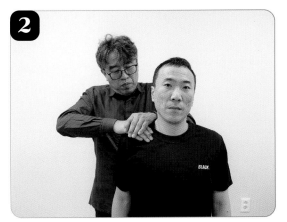

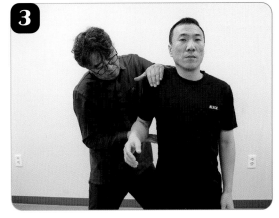

1. 치료사는 고객의 양쪽 어깨 승모근 라인에 손을 얹여 놓는다.

2. 치료사는 고객에게 어깨를 "으쓱" 하듯이 들어올라고 지시한다.

3. 치료사는 아래 중력방향으로 저항을 준다.

4. 치료사는 단축되고 경직된 어깨 부위를 선택하여 강화 운동을 시행할 수 있다.

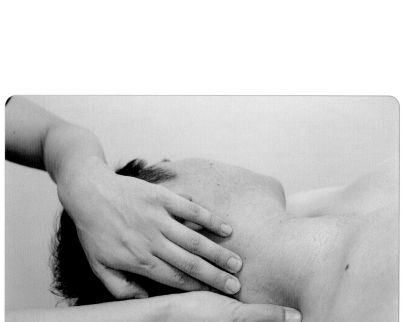

1. 치료사는 한손은 경추 2번 횡돌기 부위에 고정하고 한손은 견갑거근을 잡아서 근육-근막을 신장 시켜 준다.

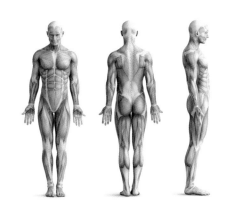

등세모근(승모근)
Trapezius m.

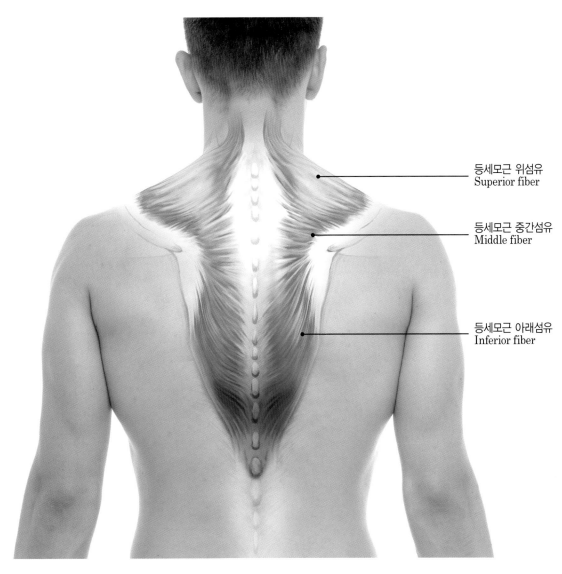

등세모근 위섬유
Superior fiber

등세모근 중간섬유
Middle fiber

등세모근 아래섬유
Inferior fiber

- 등세모근은 어깨관절의 윗부분을 덮는 한쪽이 삼각형인 평평한 근육으로, 좌우를 합쳐 보면 '승모(僧帽)'와 비슷하기 때문에 승모근이라고 하였다.
- 위섬유(빗장뼈부위), 중간섬유(봉우리부위), 아래섬유(어깨뼈가시)의 3 부위로 나누어지는데, 각 부위의 움직임도 다르다.

- 등세모근은 어깨세모근을 보조하고 어깨뼈를 안정시키는 역할을 한다. 이 근육이 과긴장되면 어깨결림을 일으킨다.
- 등세모근은 면역력과 연관되고 추위에 민감한 근육으로, 인간에게 가장 많은 영향을 준다.
- 오른쪽 등세모근은 간과 연관되어 피로를 표현하고, 왼쪽 등세모근은 스트레스와 연관되어 심장·위장과 관련된다.
- 자세불량을 일으키는 대표적인 근육으로 옷걸이근육이라고도 한다.
- 등세모근은 장딴지근(비복근)·가자미근과 연결되어 있어서 이상이 있을 때에는 함께 치료하는 것이 좋다.
- 빗장뼈의 불균형에 가장 많은 영향을 미치는 근육이고, 가슴의 불균형에도 영향을 준다.

등세모근 위섬유

- 팔부위에 통증이 있을 때 우선적으로 관리해야 할 근육이다.
- 뒤통수(후두)통증과 편두통의 원인을 제공한다.
- 목에 이상이 생기면 등세모근의 부착부위를 관리해주어야 한다.
- 목뼈를 돌릴 때 불편하면 등세모근 위섬유부위를 관리해주어야 한다.
- 뇌로 올라가는 척추동맥이 목뼈 가로돌기사이구멍에 있으므로 고혈압 등 순환계통질환이 목부위에 나타날 때에는 이 부위를 잘 관리해야 한다.
- 등세모근은 관리의 시작이다. 왼쪽은 스트레스, 오른쪽은 피로!
- 가슴이 큰 여성은 브래지어의 장력이 등세모근 위섬유를 압박하여 통증을 유발한다.
- 오래 서 있을 때 주머니에 손을 넣고 있으면 등세모근 위섬유의 긴장을 막을 수 있다.

등세모근 중간섬유

- 어깨를 모으고 돌리기를 보조하며, 어깨 굽히기와 벌리기를 보조한다.

등세모근 아래섬유

- 어깨 돌리기와 뒤쪽으로 끌어당기기, 위팔 굽히기와 벌리기를 보조한다.

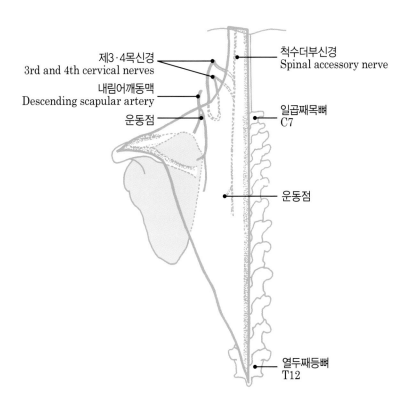

제3·4목신경
3rd and 4th cervical nerves

척수더부신경
Spinal accessory nerve

내림어깨동맥
Descending scapular artery

일곱째목뼈
C7

운동점

운동점

열두째등뼈
T12

시작점 **위섬유**： 뒤통수뼈위목덜미선, 뒤통수뼈융기, 목덜미인대를 끼고 있는 목뼈의 가시돌기

중간섬유： T1~T6의 가시돌기, 가시위인대

아래섬유： T1~T12의 가시돌기, 가시위인대

정지점 **위섬유**： 빗장뼈 가쪽 1/3의 뒤위쪽

중간섬유： 봉우리의 중앙부

아래섬유： 안쪽모서리에 가까운 어깨뼈가시 위쪽모서리

신경지배 척수더부신경(열한째뇌신경)

작 용 **위섬유**： 어깨 모으기 · 올리기 · 위쪽으로 돌리기, 머리목부위 펴기

중간섬유： 어깨 뒤당기기

아래섬유： 어깨 내리기 · 뒤당기기 · 위쪽으로 돌리기

114

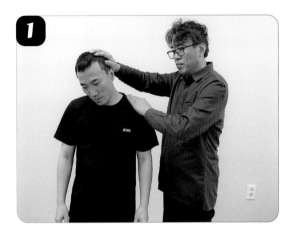

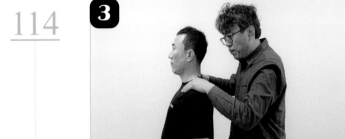

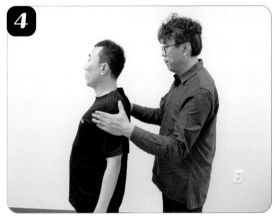

1. 치료사의 한손은 후두부의 상항선 라인에 손을 대어 고정하고 한손은 견갑골극, 어깨 부위를 촉지한다.

2. 고객에게 머리를 살짝 굴곡한 상태에서 15도 대각선 방향으로 머리를 신전하라고 지시한 후 치료사는 이에 저항을 주어 승모근을 수축하게 한다.

3. 치료사는 고객의 목을 굴곡시킨 후 목을 신전하도록 치료사가 가이드한 후 양쪽 승모근에 대한 저항 운동을 시행할 수도 있다.

4. 치료사는 라운드 숄더, 거북목이 있는 고객에게 승모근이 스트레치될 수 있도록 자세를 잡아주고 고정 해주고 재교육을 시행해 주어야 한다.

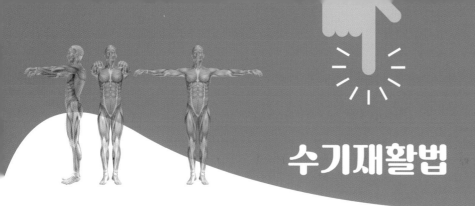

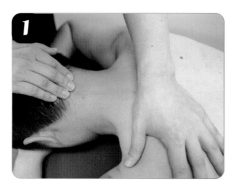
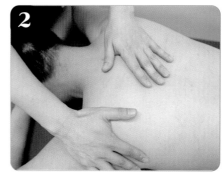

1. 치료사의 한손은 후두부의 상항선 라인을 고정하고 한손은 견갑골 상각, 극상와와 라인방향으로 근육-근막을 신장 시켜 준다.

2. 치료사는 승모근의 중부섬유를 신장 시켜 주기 위해 흉추 극돌기 라인을 고정한 후 견갑골 견봉 라인을 따라 근육-근막 신장을 시켜 준다.

3. 치료사는 승모근 하부 섬유를 신장 시켜 주기 위해 견갑골의 극 부위를 고정한 후 흉추 라인으로 근육-근막을 신장 시켜 준다.

4. 치료사는 승모근의 근막 유착을 제거하기 위하야 극돌기에 붙어 있는 승모근 섬유를 들어 올려 준다.

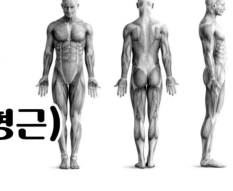

큰 · 작은마름근(대 · 소능형근)
Rhomboid major / minor m.

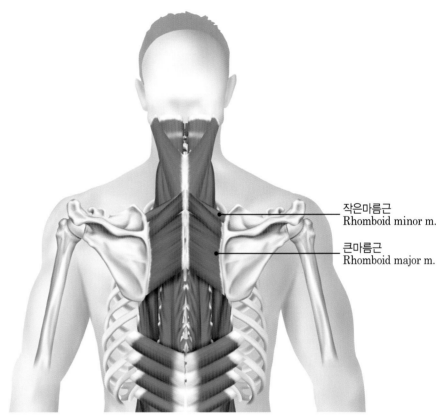

작은마름근
Rhomboid minor m.

큰마름근
Rhomboid major m.

- 등세모근이 덮고 있는 얇은 마름모꼴의 근육으로, 등뼈가 시작점인 근육은 큰마름근(대능형근)이고, 목뼈가 시작점인 근육은 작은마름근(소능형근)이다.
- 창문을 양손으로 밀어 여는 동작을 할 때 마름근이 척추방향으로 어깨를 살짝 들어올리며 당겨준다.
- 큰가슴근(대흉근)과 대항 관계를 이루며, 피로해지기 쉽다.
- 몸을 앞으로 숙인 채 생활하는 습관을 가진 사람은 등이 넓어지고 어깨가 안으로 둥그렇게 되는 라운드숄더(round shoulder, 둥근어깨)를 만들게 된다.
- 마름근의 신경은 C5에서 나와 목갈비근(사각근)을 경유하므로 목갈비근이 긴장하면 근기능 저하와 함께 신경성 질환이 나타난다.
- 목에 나타나는 변형성 질환인 거북목증후군(forward head posture, 목을 앞으로 뺀 자세)은 관리가 필요한 질환이다.

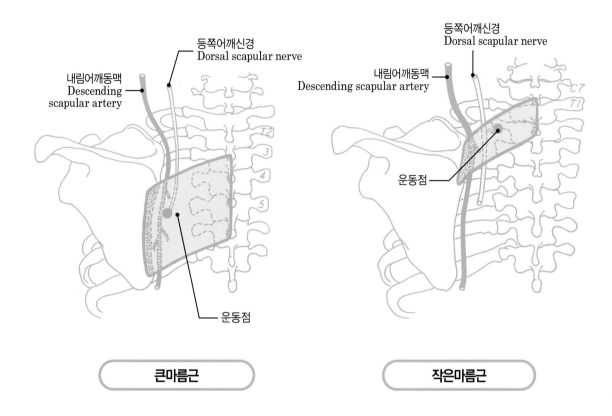

등쪽어깨신경
Dorsal scapular nerve

내림어깨동맥
Descending
scapular artery

운동점

큰마름근

등쪽어깨신경
Dorsal scapular nerve

내림어깨동맥
Descending scapular artery

운동점

작은마름근

시작점 **큰마름근** : T1~T4(또는 T2~T5)의 가시돌기
　　　　　 작은마름근 : C6~C7(또는 C7·T1)의 가시돌기

정지점 **큰마름근** : 어깨뼈 안쪽모서리 아래쪽
　　　　　 작은마름근 : 어깨뼈 안쪽모서리 위쪽

신경지배 등쪽어깨신경(C4~C6)

작 용 어깨 뒤당기기(모으기)·올리기·아래쪽으로 돌리기

1. 치료사는 고객의 견갑골을 내전 시키는 동작을 유도한다(이때 능형근의 수축을 느끼도록 코칭해준다).

2. 치료사는 고객의 앞쪽에서 고객에게 문을 여는 동작으로 힘을 쓰게 하는 동시에 바깥에서 안쪽으로 저항을 준다.

3. 치료사는 고객의 능형근을 스트레칭하는 동작을 티칭해주는데 있어 앞서 능형근의 수축을 느끼는 동작을 티칭한 후에 자가 스트레칭 동작을 가르쳐 주어야 효과가 크다.

4. 자가 스트레칭은 한팔을 쫙- 펴고 다른 팔로 고정한 후 뒤쪽 능형근 라인의 스트레치 효과를 느끼면서 하도록 해야 한다.

수기재활법

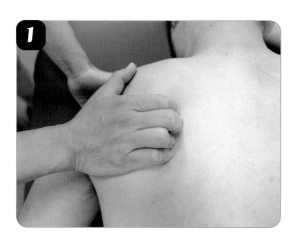
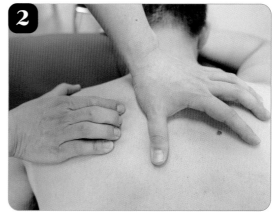
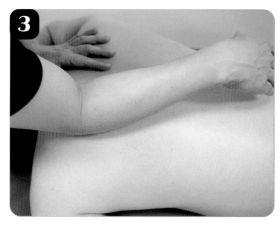
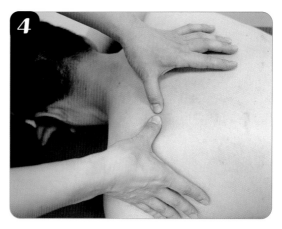

1. 치료사는 견갑골 내측연을 가벼운 압력으로 파고 들어간다.
2. 치료사의 한손은 경추-흉추부위의 극돌기 방향으로 근육-근막을 신장하고 한손은 견갑골 내측연을 따라 근육-근막을 이완한다.
3. 치료사는 주관절을 이용하여 능형근의 근육 TP점을 찾아 압박한다.
4. 치료사는 엄지를 이용해 능형근의 결절부위의 유착을 제거하는 동시에 TP점을 찾아 통증 경감을 해줄 수 있다.

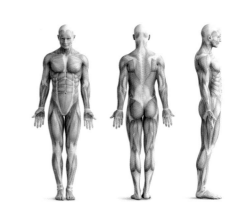

큰가슴근(대흉근)
Pectoralis major m.

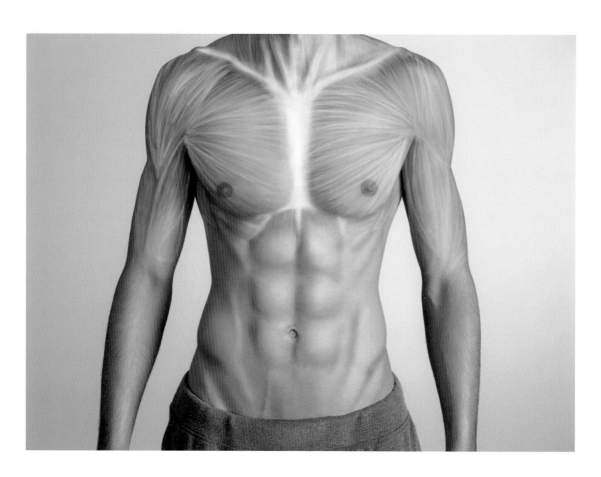

- 큰가슴근은 가슴 표면에 있는 부채모양의 큰 근육으로, 힘살은 시작점의 위치에 따라 3부분으로 나누어진다. '가슴판'을 형성하고 있다.
- 큰가슴근은 복장가지, 빗장가지, 갈비가지의 세 방향으로 나누어진다.
- 호흡근의 작용이 큰 근육이며, 빗장뼈의 틀어짐에 관여한다.
- 복장가지는 큰가슴근의 긴장성 단축의 원인인 새가슴을 만들고, 큰가슴근과 대항작용을 하는 마름근(능형근) · 중간등세모근(중승모근) · 어깨뼈 주위의 근육에 이완성 긴장을 초래하여 라운드숄더를 만든다.
- 갈비가지가 긴장되면 갈비가지와 복장가지를 단축시켜 아래부분의 갈비뼈를 위로 올려 가로막 운동에 장애를 일으켜 반복적인 호흡을 하게 함으로써 호흡기능을 전반적으로 저하시킨다.

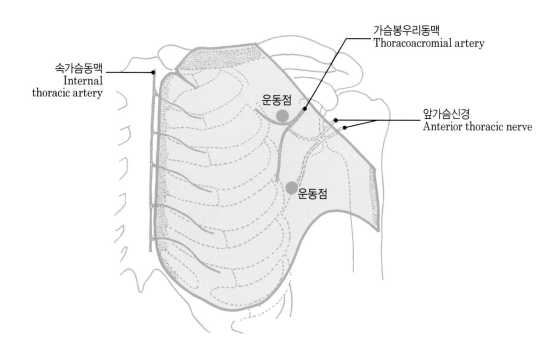

속가슴동맥
Internal
thoracic artery

가슴봉우리동맥
Thoracoacromial artery

운동점

운동점

앞가슴신경
Anterior thoracic nerve

시작점　**빗장가지** : 빗장뼈의 안쪽앞모서리

　　　　　복장가지 : 복장뼈 앞면, 첫째갈비연골부터 일곱째갈비연골

　　　　　갈비가지 : 배곧은근집의 앞가지

정지점　위팔뼈의 큰결절능선

신경지배　안쪽 및 가쪽가슴신경(C6~T1)

작 용　• 어깨 모으기 · 안쪽돌리기 · 굽히기 · 수평모으기

　　　　　• 들숨 보조

재활 근육 운동법

122

1. 치료사는 고객 팔의 안쪽 부위에서 고객 어깨를 내전하는 곳에 대한 저항을 주어 대흉근의 흉골지를 강화한다.

2. 치료사는 고객의 팔을 거상시켜 110도 굴곡 시킨 위치에서 고객이 내전하는 곳에 대한 저항을 주어 쇄골지를 특화 시켜 강화 운동을 할 수 있다.

3. 치료사는 한쪽씩 번갈아 가며 고객의 어깨 내전에 대한 동작에 저항 운동을 시행하여 대흉근의 근육 긴장도를 조절 또는 강화 운동을 시행할 수 있다.

수기재활법

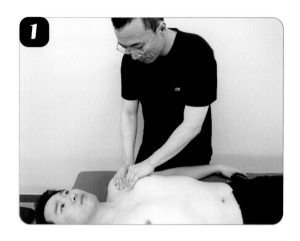

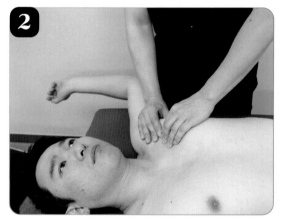

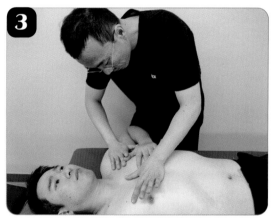

1. 치료사는 대흉근의 근복을 잡아서 근육-근막을 신장 시켜 준다.

2. 치료사는 대흉근의 흉골지 부분으로 근육-근막을 신장 시켜 준다.

수기재활법

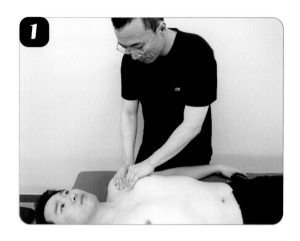

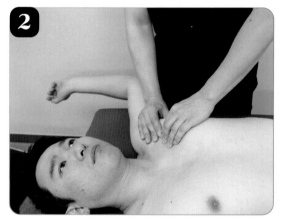

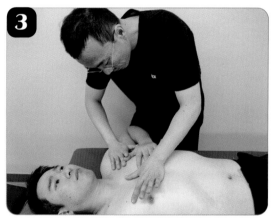

24. 큰가슴근(대흉근)

1. 치료사는 대흉근의 근복을 잡아서 근육-근막을 신장 시켜 준다.

2. 치료사는 대흉근의 흉골지 부분으로 근육-근막을 신장 시켜 준다.

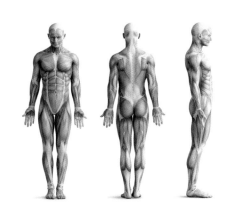

25

어깨세모근(삼각근)
Deltoid m.

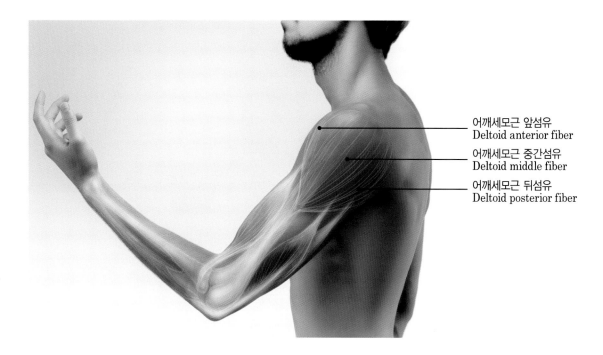

어깨세모근 앞섬유
Deltoid anterior fiber

어깨세모근 중간섬유
Deltoid middle fiber

어깨세모근 뒤섬유
Deltoid posterior fiber

- 어깨세모근은 위팔뼈머리를 덮고 있는 삼각형의 근육으로, 앞섬유(빗장뼈부위), 중간섬유(봉우리부위), 뒤섬유(어깨뼈가시)의 3부분으로 나누어진다.

- 어깨세모근은 인체에서 360도 회전하는 유일한 관절을 싸고 있으며, 운동성이 매우 좋다.

- 어깨세모근은 압통이 빈번하게 발생되어도 쉽게 손상되지 않아 '둔한 근육'으로 불린다.

- 지배신경인 겨드랑신경(액와신경)은 목의 측면에 위치한 목갈비근을 통과하여 빗장밑부분으로 갔다가 다시 겨드랑이로 내려가기 때문에 목갈비근의 영향으로 눌리거나 목이 경직되어 일자목 또는 거북목이 되면 어깨세모근의 기능을 저하 내지 마비시킨다.

- 굳은어깨(오십견)나 어깨팔통증(견비통)을 호소하는 사람들은 볼과 입꼬리가 처지며 안면 비대칭현상이 나타나기도 한다.

- 어깨세모근(삼각근)과 큰가슴근(대흉근), 그리고 목빗근(흉쇄유돌근)은 빗장뼈(쇄골)에 부착되어 이들 근육에 문제가 생기면 빗장뼈에 변형을 초래하여, 빗장뼈를 지나는 얼굴표정근인 넓은목근(광경근)에도 영향을 주어 얼굴에 변형을 일으키기도 한다.

어깨세모근 앞섬유(빗장뼈부위)

- 어깨세모근 앞섬유의 시작점인 빗장뼈는 빗장밑근(쇄골하근), 큰가슴근(대흉근), 목빗근(흉쇄유돌근), 등세모근(승모근) 위섬유와 함께 있으면서 서로 당기는 힘에 의하여 빗장뼈가 균형을 조절함으로써 어깨관절의 안정과 움직임에 중요한 역할을 한다.
- 어깨세모근 앞섬유 단독으로는 어깨 굽히기와 수평모으기를 담당하고, 어깨세모근 중간섬유, 어깨세모근 뒤섬유와 협동하면 벌리기 운동에 관여한다. 그런데 이 앞섬유는 기본적으로 큰가슴근의 빗장가지와 부리위팔근, 위팔두갈래근 짧은가지와 기능적으로 동일한 역할을 한다.
- 어깨세모근 앞섬유의 움직임에 이상이 생기면 등세모근(승모근) 위섬유에 바로 영향을 주어 목의 움직임에 제한을 주고, 두통과 자율신경계통 증상을 일으키며, 빗장뼈로 배수되는 림프의 순환을 방해하여 부종을 일으키기도 한다.
- 큰가슴근(대흉근)과 작은가슴근(소흉근), 큰원근(대원근), 넓은등근(광배근)에 긴장상태, 즉 라운드숄더가 형성되면 어깨세모근 앞섬유는 위팔뼈의 모음으로 인해 단축이 일어나고, 어깨세모근은 반대로 늘어나 이완성 긴장상태가 된다.
- 어깨세모근 앞섬유는 어깨관절의 앞쪽에서 큰가슴근을 덮고 있어 사실상 큰가슴근의 빗장가지와 기능이 동일하므로, 라운드숄더로 큰가슴근이 짧아지면 어깨세모근 앞섬유도 단축성 긴장상태가 된다.

어깨세모근 중간섬유(봉우리부위)

- 어깨세모근 중간섬유는 가시위근과 더불어 어깨관절을 벌리는 기능을 하는데, 초기에는 가시위근이 작용하지만 그 후 90도까지는 어깨세모근 중간섬유가 서로 협조하여 기능한다.
- 단독으로 작용할 때에는 어깨관절을 강하게 벌리고, 가시위근과 협동에 의한 동작보다 편안한 벌리기 동작이 가능하다.

어깨세모근 뒤섬유(어깨뼈가시부위)

- 어깨세모근 뒤섬유는 위팔세갈래근, 가시위근(극상근), 작은원근(소원근)과 직 · 간접적으로 함께 작용한다.
- 이 뒤섬유는 어깨관절의 위치에 따라 많은 영향을 받으며, 단독으로 작용할 때에는 어깨를 펴고, 어깨세모근 앞 및 중간섬유와 협동 시에는 어깨 벌리기에 관여한다.

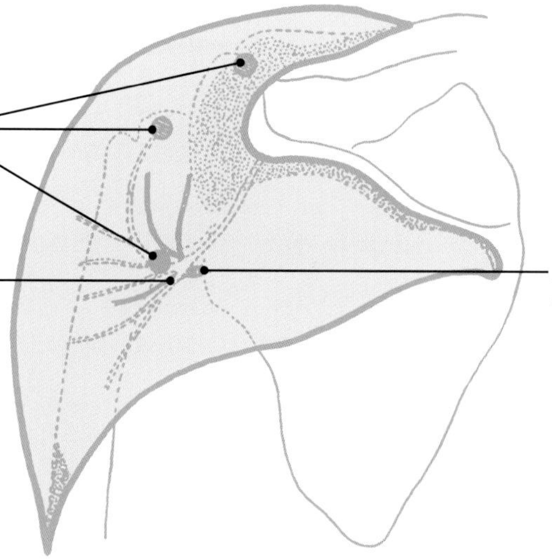

운동점

겨드랑신경
Axillary nerve

뒤위팔휘돌이동맥
Posterior humeral
circumflex artery

시작점 **앞섬유** : 빗장뼈 가쪽의 앞면

중간섬유 : 봉우리의 위쪽면

뒤섬유 : 어깨뼈가시

정지점 위팔뼈의 어깨세모근 거친면

신경지배 겨드랑신경(C5~C6)

작 용 **앞섬유** : 어깨 굽히기 · 수평모으기 · 안쪽돌리기 · 벌리기

중간섬유 : 어깨 벌리기 · 굽히기

뒤섬유 : 어깨 펴기 · 수평벌리기 · 가쪽돌리기

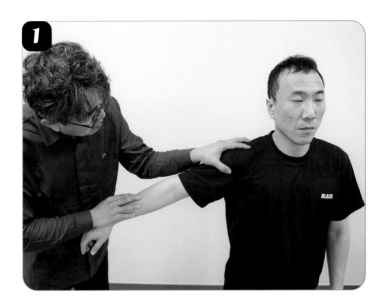

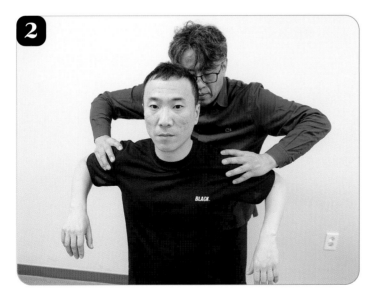

1. 치료사는 고객의 어깨의 30~90도 외전 동작에 대한 저항 운동을 시행한다.

2. 치료사는 고객의 주관절을 90도 굴곡시키 위치에서 강화 운동을 시행할 수 있다.

128

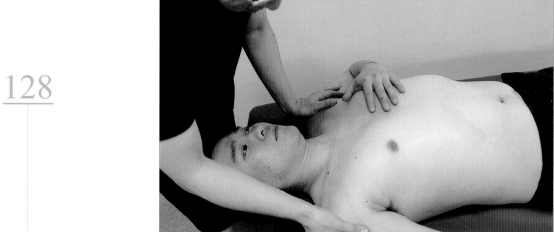

1. 치료사는 삼각근의 근복을 잡아서 가벼운 압박력을 제공하여 삼각근의 근긴장을 완화 시켜 준다.

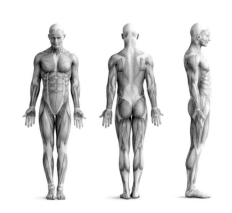

26

넓은등근(광배근)
Latissimus dorsi m.

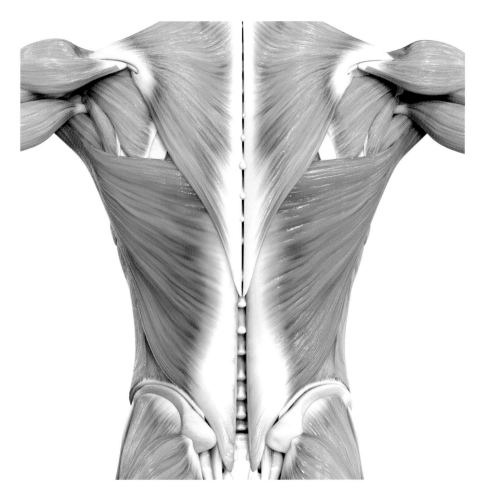

- 넓은등근은 사람의 근육 중에서 가장 면적이 넓으며, 다이나믹한 스포츠를 할 때 매우 중요한 역할을 하는 근육이다. '손을 뒤로 돌리는 근육' 또는 '기침근육'이라고도 한다.
- 넓은등근은 위팔에서 꼬리뼈까지 연결된 큰 근육으로 등의 대부분을 차지하고 있으며, 근력이 약화되면 새우등(kyhosis, 척주뒤굽음)이 나타난다.
- 등이 V자 모양이 되는 수영선수의 등근육이 대표적이다.
- 넓은등근은 척주의 지지뿐만 아니라 어깨의 질환에까지 영향을 주면서 등세모근 위섬유와 어깨올림근에까지 영향을 주어 통증을 일으키며, 허리통증에도 일조한다.

- 림프절에 영향을 줄 수 있으므로 주의해서 관리해야 한다.
- 이 근육이 강력한 힘으로 수축이 반복되면 어깨관절아탈구를 일으키며, 경직 시에는 어깨의 가동범위를 제한시켜 굳은어깨(오십견)를 일으킨다.

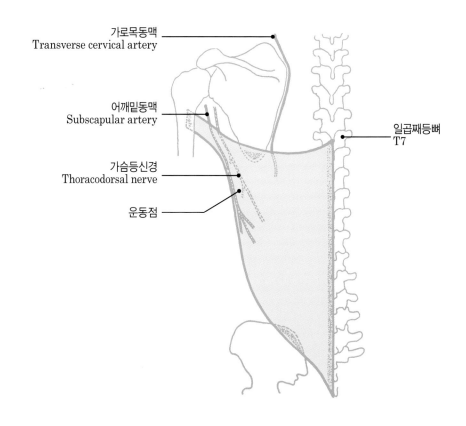

시작점	등허리근막, 가슴우리 아랫부분의 가시돌기, 모든 허리뼈, 엉덩뼈능선의 뒷면, 아래에서 네번째갈비뼈, 어깨뼈의 아래모서리
정지점	위팔뼈 작은결절능선
신경지배	가슴등신경(중간의 어깨밑신경)
작 용	어깨 모으기 · 펴기 · 안쪽돌리기 · 내리기

재활 근육 운동법

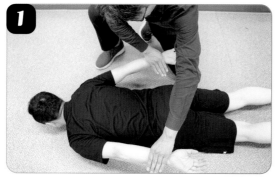

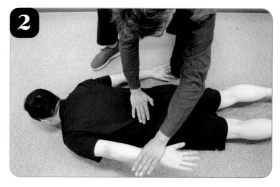

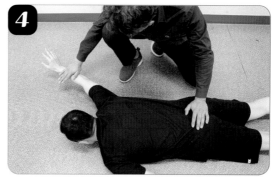

1. 치료사는 고객이 엎드려 누운자세를 취하게 한 후 양팔을 들어 올리는 자세를 취하게 한다.
2. 치료사는 고객의 양팔에 고객의 근력에 따라 적절한 저항을 제공한다.
3. 치료사의 한손은 고객의 천골 부위를 고정한 후 한 손에 대한 저항을 제공하여 양쪽 광배근의 균형을 맞추는 재활 운동을 시행한다.
4. 치료사는 고객이 엎드려 누운 자세에서 만세 동작을 유도한 후 적절한 저항 운동으로 상부 광배근 강화 운동을 시행할 수 있다.

132

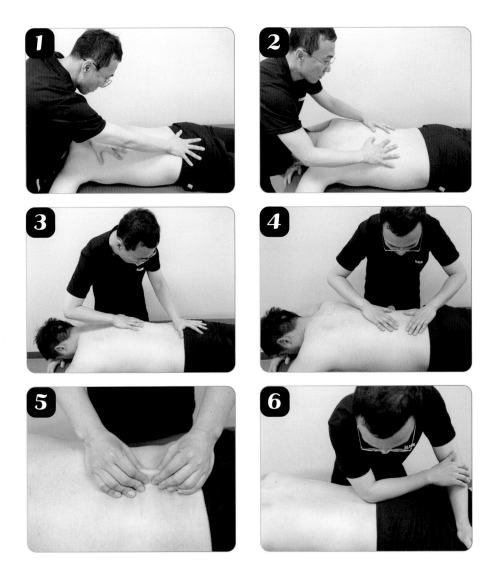

1. 치료사는 한손은 외측 늑골을 고정한 후 한손은 천골을 향하여 광배근의 하부 섬유를 신장 시켜 준다.

2. 치료사는 요배근막의 근막을 먼저 이완한 후 근막을 들어 준다.

3. 요배근막을 들어주면 근육-근막이 더욱 탄력성과 소통이 잘되어 광배근의 근긴장이 탄력도를 갖추게 되고 근육도 제위치에 교정되는 효과를 거쳐 천장관절과 어깨의 관절 위치가 맞아 들어가 자세의 교정 효과도 볼 수 있다.

4. 치료사는 천장 관절 라인의 유착된 근육을 풀어줌으로써 광배근의 근막을 통해 전체적인 이완을 유도할 수 있다.

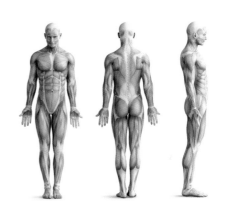

27

큰원근(대원근)
Teres major m.

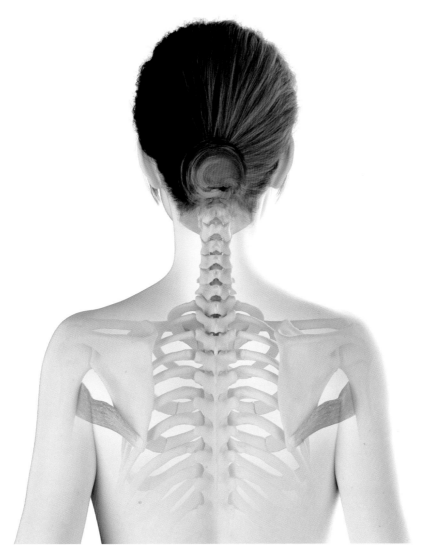

- 큰원근은 작은원근(소원근) 아래쪽에서 긴 원주모양을 하고 있으면서 어깨위팔관절을 모으고 펴게 한다. 같은 정지점을 가진 넓은등근(광배)의 대표적인 보조근이다.
- 큰원근은 '작은 넓은등근'으로 불리며, 어깨뼈 내리기를 제외하고는 넓은등근과 같은 움직임을 한다.
- 큰원근은 단독적으로 문제를 일으키지 않고 마름근(능형근), 어깨밑근(견갑하근), 큰가슴근(대흉근)과 같이 2차적 손상을 일으키는 근육이다.

- 큰원근은 도끼질과 같은 팔동작이나 수영, 골프스윙, 톱으로 나무를 써는 동작 등과 같이 위팔뼈를 모으거나 안쪽돌리기를 할 때 넓은등근과 협동하여 작용한다.
- 큰원근에 이상이 있으면 테니스 서브 동작에서 팔을 위로 올려 뻗을 때 통증이 발생한다.
- 어깨관절을 움직일 때 뜨끔뜨끔하는 통증과 이유없이 팔에 힘이 빠지는 현상도 나타나며, 옷을 입기 위해 팔을 들어올릴 때 통증이 온다.

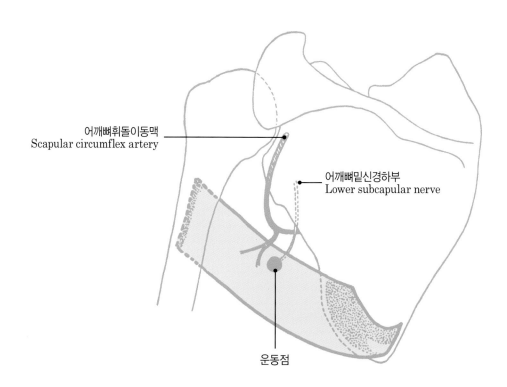

어깨뼈휘돌이동맥
Scapular circumflex artery

어깨뼈밑신경하부
Lower subcapular nerve

운동점

시작점	어깨뼈의 아래모서리
정지점	위팔뼈의 작은결절능선
신경지배	어깨밑신경
작 용	어깨 모으기 · 펴기 · 안쪽돌리기

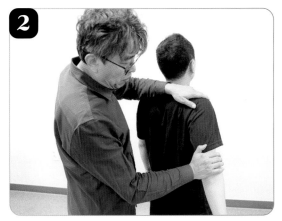

1. 치료사의 한손은 고객의 견갑골을 고정한 후 한손은 고객의 주관절에 대해서 뒤로 돌리는 동작에 저항을 준다.

2. 치료사는 고객이 팔을 편 상태에서 뒤로 펴는 동작에 대한 앞쪽으로 미는 힘을 가해 저항을 주며 대원근을 신장 시켜 준다.

3. 치료사는 고객의 팔을 편채로 뒤로 젖히는 대해서 저항 운동을 시행하여 대원근 강화 운동을 할 수 있다.

136

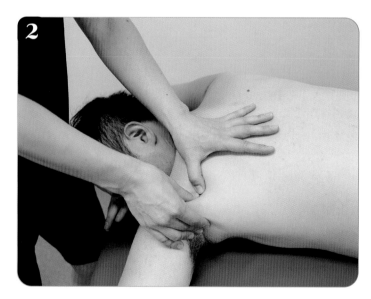

1. 치료사는 견갑골의 아래 모서리를 고정한 후 상완골 방향으로 근육-근막을 신장시켜 준다.

2. 치료사는 대원근의 근복을 잡고 압박을 주어 근긴장을 완화 시켜 줄 수 있다.

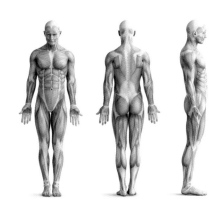

28.

작은원근(소원근)
Teres minor m.

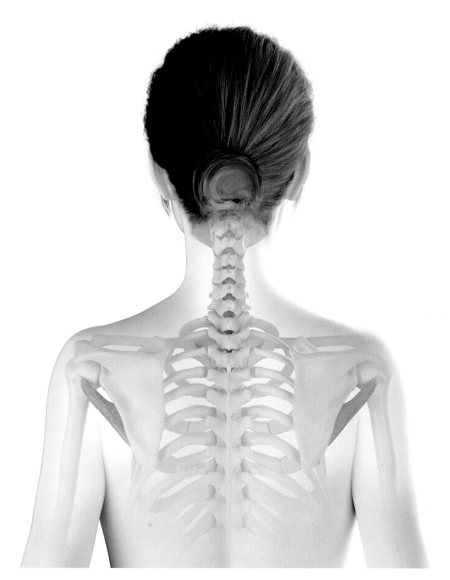

- 작은원근은 가시아래근 아래쪽에 있는 긴 원뿔모양(단면은 원형)의 근육으로, 큰원근(대원근)과 이름은 유사하지만 기능과 지배신경은 다르다.
- 돌림근띠(회전근개)를 구성하는 근육(가시위근, 가시아래근, 작은원근, 어깨밑근) 중의 하나이다.

- 이 근육은 위팔뼈(상완골)를 관절오목(관절와) 뒤쪽으로 돌리는 동작과 가쪽돌리기가 주기능이고, 가시위근과 어깨밑근을 보조하고, 어깨를 벌리거나 펼 때 어깨세모근 뒤쪽섬유와 함께 위팔뼈머리를 고정시킨다.
- 어깨통증의 주범은 작은원근과 가시위근의 경직이다.
- 작은원근은 겨드랑신경과 노신경이 나오는 포인트이므로 통증이 많이 오는 근육이다.
- 작은원근이상은 대항적 기능을 하는 큰가슴근에 긴장성 단축을 일으켜 어깨가 안으로 말리는 라운드숄더가 형성되어 작은원근에 만성적인 부하가 걸린다.
- 작은원근은 큰가슴근의 대항근으로 거북목을 잡아주는 근육이다.
- 작은원근을 관리할 때에는 반드시 큰가슴근도 함께 관리해야 한다.
- 위팔뼈를 안쪽·가쪽으로 돌리면 어깨밑근과 작은원근을 촉진할 수 있다.

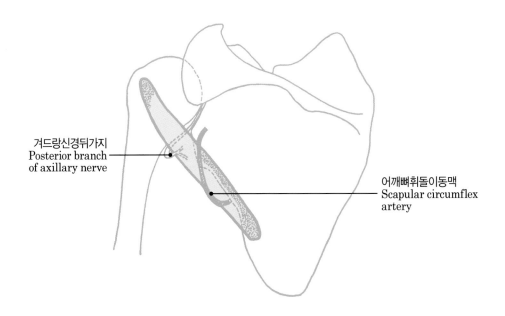

겨드랑신경뒤가지
Posterior branch
of axillary nerve

어깨뼈휘돌이동맥
Scapular circumflex
artery

시작점　어깨뼈아래모서리 부근 가쪽모서리의 뒷면

정지점　위팔뼈의 큰결절아랫면

신경지배　겨드랑신경(C5~C6)

작 용　• 어깨 가쪽돌리기
　　　　　• 어깨위팔관절의 안정

재활 근육 운동법

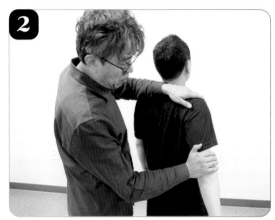

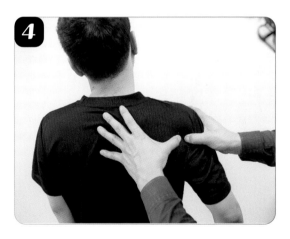

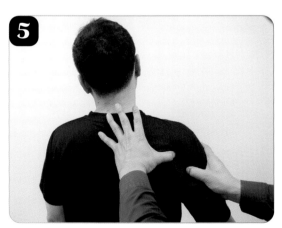

1. 치료사는 견갑골 극 부위를 고정한 후 고객의 주 관절에 저항을 주어 팔을 뒤로 미는 동작에 대해 서 저항을 주어 소원근 강화 운동 또는 근긴장을 완화 시켜 줄 수 있다.

2. 치료사의 소원근 부위의 근육에 대해 압박력을 엄 지로 가한 후 고객의 팔을 움직이게 하여 액와신 경, 요골신경의 흐름을 활성화 시켜 줄 수 있다.

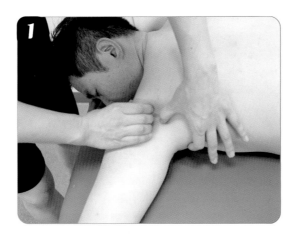

140

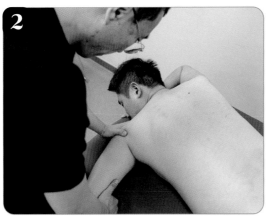

1. 치료사는 소원근 사이를 유착된 근막을 제거하고 공간을 확보하는 방법으로 접근하여 소원근에서 뻗어 나오는 액와신경, 요골신경 라인의 공간을 확장시켜 준다.

2. 치료사의 주관절을 이용해 소원근 부위에 정확하게 고정한 후 주관절을 이용해 근육 사이를 이완해 준다.

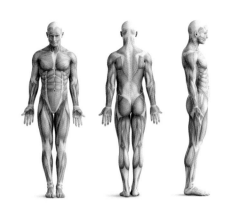

29.

가시위근(극상근)
Supraspinatus m.

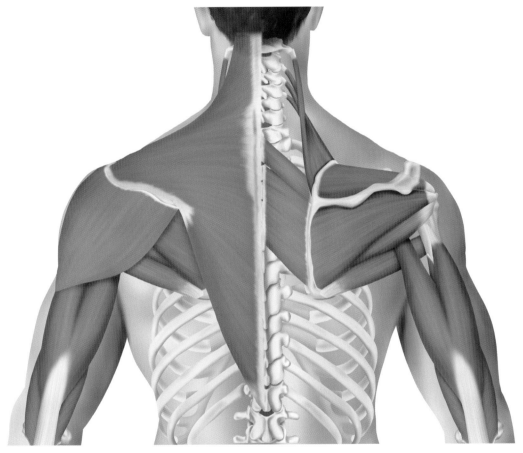

- 가시위근은 돌림근띠(회전근개)를 구성하는 근육(가시위근, 가시아래근, 작은원근, 어깨밑근) 중의 하나로, 등세모근을 덮고 있는 삼각형의 근육이다.
- 가시위근은 돌림근띠를 구성하는 근육 중에서 가장 상해를 입기 쉬우며, 어깨관절의 아래쪽탈구를 저지하는 역할을 한다.
- 팔을 들어올리는 첫 동작에서 30도까지 관여하고, 칫솔질 · 머리빗는 동작에 사용한다.
- 가시위근은 무거운 물건을 들 때 팔이 탈구되지 않게 하며, 위팔뼈머리를 어깨뼈관절오목으로 압박하여 고정시키고, 어깨세모근과 함께 팔의 벌림운동을 주도한다.
- 팔을 벌릴 때 주동근은 어깨세모근(삼각근)이지만, 이 근육이 마비되더라도 가시위근만으로 팔을 들어올릴 수 있다.

• 가시위근에 이상이 있으면 팔을 움직일 때 '딱딱' 소리가 난다. 이때 가시위근힘줄을 둘러싸면서 위팔관절의 보조근육 역할을 하는 커다란 윤활주머니는 어깨세모근과 어깨봉우리를 분리시키는 작용을 한다.

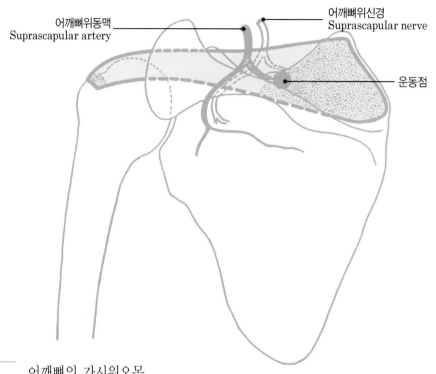

어깨뼈위동맥
Suprascapular artery

어깨뼈위신경
Suprascapular nerve

운동점

시작점 어깨뼈의 가시위오목

정지점 위팔뼈의 큰결절 윗면, 어깨관절주머니

신경지배 어깨위신경(C5~C6)

작 용 • 어깨 벌리기
 • 어깨위팔관절의 안정

재활 근육 운동법

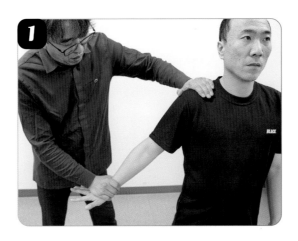

1. 치료사는 고객의 팔을 30도 위치에서 위로 올려보라고 지시한 후 이에 대하여 저항을 주어 극상근 강화 운동을 시행할 수 있다(통증이 있다면 조금 아래 위치에서 시행한다).

2. 치료사는 고객에게 열중쉬어 자세를 취하게 한 후 척추 극돌기 방향으로 주먹을 쥐어 밀게 하면서 이 때 저항 운동을 시행하여 극상근의 이완을 통할 수 있다.

3. 치료사는 고객의 극상근에 대해서 압박력을 한손으로 제공하고 어깨를 돌리는 동작을 시행하여 극상근 주위의 근막을 이완할 수 있다.

144

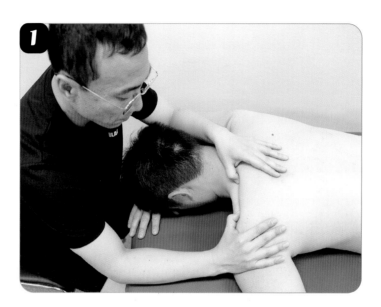

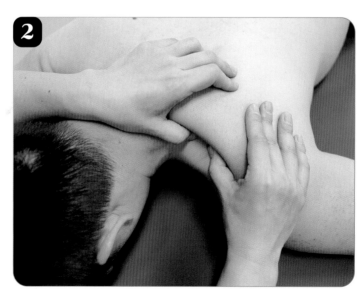

1. 치료사는 견갑골의 극상와 부위를 따라 엄지를 이용하여 압박하면서 TP점을 찾아 통증을 완화 시켜 줄 수 있다.

2. 치료사는 견정부위를 깊게 자극을 주어 근긴장을 완화 시켜 줄 수 있다.

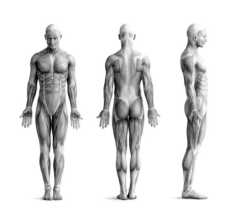

30.

가시아래근(극하근)
Infraspinatus m.

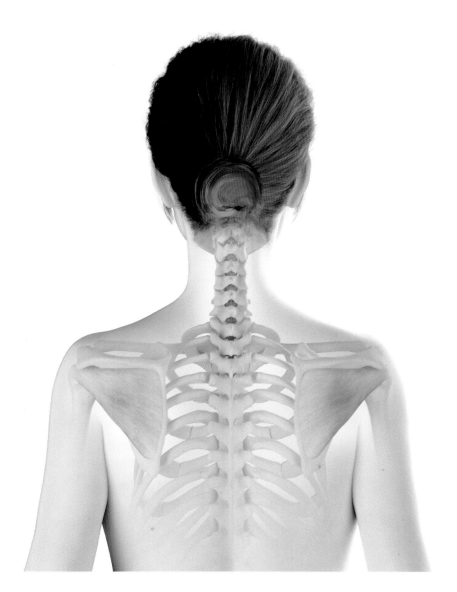

- 가시아래근은 어깨뼈가시 아래쪽에 있는 삼각형의 근육으로, 작은원근과 마찬가지로 위팔을 가쪽으로 돌 릴 때 주요한 역할을 한다.

- 돌림근띠(회전근개)를 구성하는 근육(가시위근, 가시아래근, 작은원근, 어깨밑근) 중의 하나로, 돌림근띠 를 구성하는 근육 중에서 가시위근(극상근) 다음으로 상해를 입기 쉽다.

- 허리 뒤로 양손을 뻗어 손가락을 깍지끼고 팔을 쭉펴는 동작을 할 때 작용하는 근육이다.
- 이 근육 중간에는 수태양소장경의 천종혈이 있고, 모유 수유에 관여한다.
- 가시아래근에 이상이 있으면 브래지어를 뒤에서 채우지 못한다.
- 목디스크가 있으면 이 근육이 약화될 수 있다.

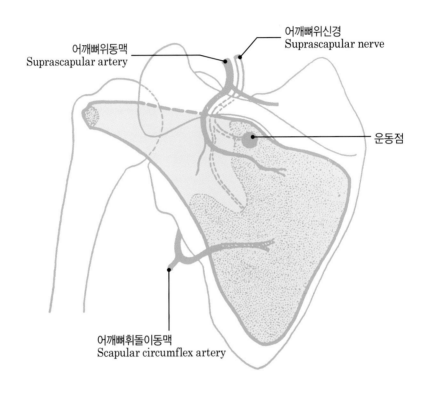

시작점	어깨뼈의 가시아래오목
정지점	위팔뼈의 큰결절(중앙, 어깨관절주머니)
신경지배	어깨위신경(C5~C6)
작 용	**위쪽** : 어깨 벌리기 · 가쪽돌리기 **아래쪽** : 어깨 모으기 · 가쪽돌리기

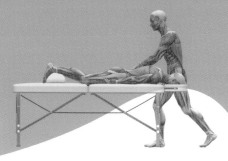

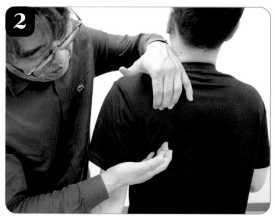

1. 치료사의 한손은 극하근 전체를 가볍게 압박하고 한손은 견갑골 상부를 압박한다.

2. 치료사는 고객의 내회전 방향으로 힘을 주며, 고객은 외회전 방향으로 힘을 주어 저항 운동을 시행한다.

148

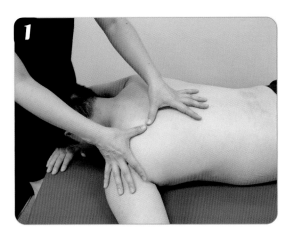

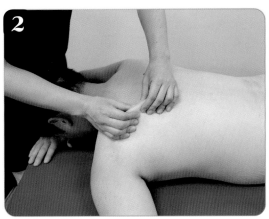

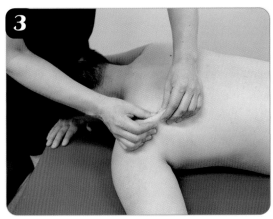

1. 치료사는 견갑골 내측연부터 엄지를 이용하여 극하근을 신장한다.

2. 치료사는 극하근을 내측연부터 잡아서 롤핑 요법으로 견갑골에서 극하근의 유착을 제거한다.

※ 이렇게 하면 극하근의 운동성을 증진 시킬 수 있다.

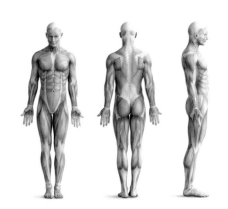

31

어깨밑근(견갑하근)
Subscapularis m.

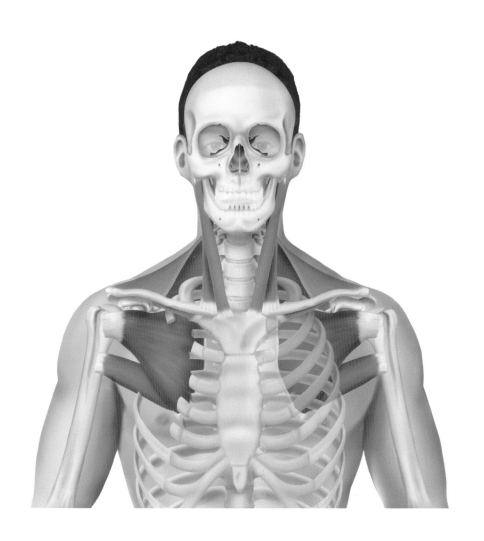

- 어깨밑근은 어깨뼈아래오목이 시작점인 삼각형의 뭇깃근육(다우상근)으로, 어깨뼈와 가슴우리 사이를 주행하며, 일명 '오십견근육'으로 불린다. 따라서 굳은어깨(오십견)환자는 이 근육을 잘 관리하면 팔을 벌리는 범위가 넓어져 통증이 완화된다.
- 넓은등근·큰원근과 함께 어깨관절을 안쪽으로 회전시키는 기능이 있다.
- 돌림근띠를 구성하는 근육의 하나로, 어깨관절을 안정시키는 역할을 한다.
- 어깨통증은 어깨세모근 뒤섬유에서 뚜렷하게 나타나 위팔로 방사되며, 통증이 손목까지 내려가기도 한다.

어깨밑근의 단축으로 인해 가쪽돌림근이 손상되면 벌리는 동작에서 위팔뼈머리에서 돌림이 일어나지 않아 위팔뼈머리가 어깨봉우리와 부딪쳐 어깨봉우리가 솟아오르게 된다.

- 어깨관절의 운동제한은 겨드랑부위의 공간을 폐색시켜 림프와 혈액의 흐름을 좋지 않게 하고, 겨드랑이 부분에 불쾌감을 유발한다.
- 이 근육은 어깨아래 겨드랑부위에 부착되어 있어 자극을 깊숙하게 직접적으로 주거나 위팔 작은결절 몸쪽부위를 자극하면 관리가 가능하다.
- 조금만 관리해도 벌림각도가 30~40도까지 향상되므로 치료효과를 금세 볼 수 있는 근육이다.

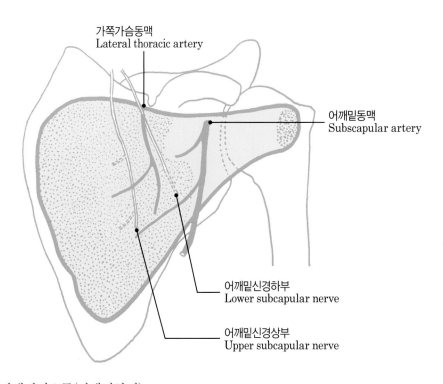

가쪽가슴동맥
Lateral thoracic artery

어깨밑동맥
Subscapular artery

어깨밑신경하부
Lower subcapular nerve

어깨밑신경상부
Upper subcapular nerve

시작점   어깨뼈밑오목(어깨뼈앞면)

정지점   위팔뼈의 작은결절, 어깨관절주머니

신경지배   어깨밑신경(C5~C7)

작 용   • 어깨 모으기 · 안쪽돌리기
          • 어깨위팔관절 안정

재활 근육 운동법

1. 치료사는 고객의 팔을 열중쉬어 자세를 취하게 한 후 견갑골 내측연을 파고 들어가 견갑하근을 촉지한다.

2. 치료사는 고객의 팔을 거상 시킨 후 액와 부위로 접근하여 견갑하근을 촉지하고 분리되는 움직임을 유도하여 유착을 제거하여 어깨 관절의 가동성 증진을 도모할 수 있다.

3. 치료사는 고객의 열중쉬어 자세에서 팔을 뒤로 미는힘에 대항하여 저항을 주어 견갑하근의 활동성 증진을 도모할 수 있다.

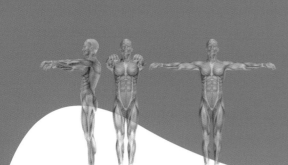

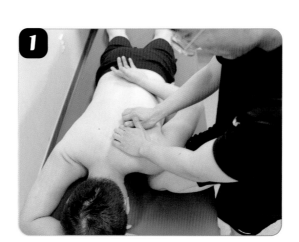

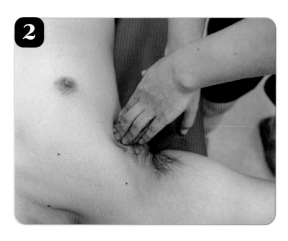

1. 치료사는 견갑골 내측연을 따라 손가락을 넣어 근육-근막이 이완될 때까지 기다린 후 견갑하근을 촉지하고 신장될 때까지 기다려 준다.

2. 치료사는 액와 부위에서 견갑하근을 촉지하고 견갑골에서 견갑하근이 분리될 수 있도록 가벼운 압박력을 가한다(이때 고객은 유착된 견갑하근은 통증이 심할 수 있으니 미리 고지 하는 것이 좋다).

3. 치료사는 손바닥을 활용하여 상완을 고정한 후 가볍게 액와 부위의 견갑하근의 근육을 신장 시키고 이완 시킬 수 있다.

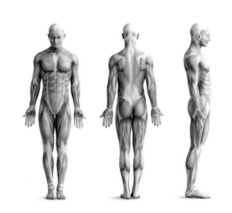

32.

위뒤톱니근(상후거근)
Serratus posterior superior m.

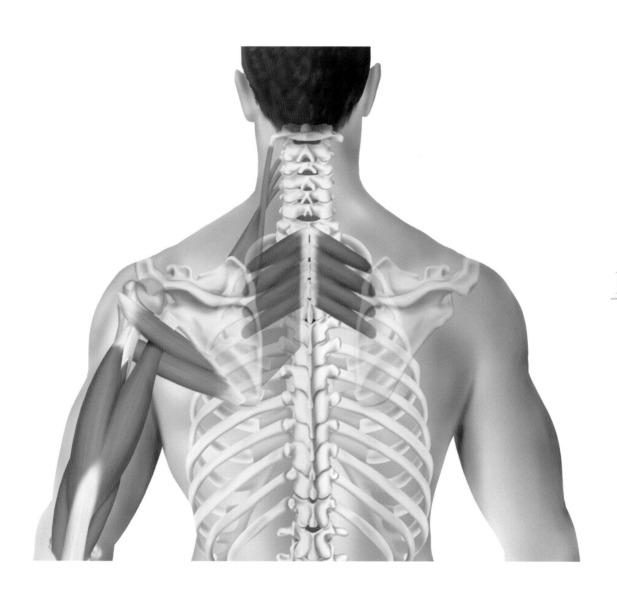

- 위뒤톱니근(상후거근)의 맨 위쪽에는 등세모근(승모근)이 있고, 그 바로 밑에는 마름근(능형근)이 있다.

- 족태양방광경의 고황혈이 있다.

- 내장신경줄기(T5~T9)의 근간이 되는 근육이다.

- 등뼈(흉추)의 과도한 돌림을 저지한다.

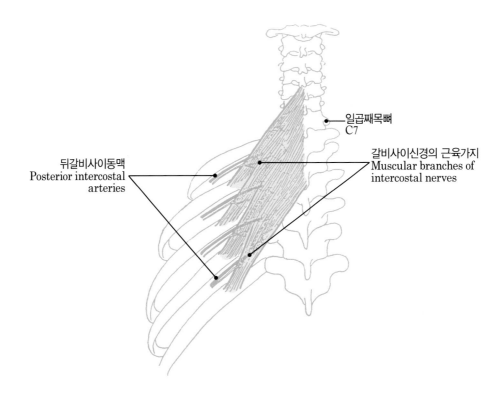

일곱째목뼈
C7

뒤갈비사이동맥
Posterior intercostal
arteries

갈비사이신경의 근육가지
Muscular branches of
intercostal nerves

시작점 목덜미인대의 아랫부분 및 일곱째목뼈와 위쪽 3~4개 등뼈가시돌기

정지점 둘째~다섯째갈비뼈 위모서리에서 그것들의 각을 넘는 부분

신경지배 위쪽 4개 등신경의 앞가지

작용
- 갈비뼈 올리기
- 들숨 보조

1. 치료사는 견갑골 내측연에 한손을 촉지하고 한손은 C7-T4 극돌기 라인을 촉지한다.

2. 치료사는 능형근이 수축할 수 있도록 견갑골 내전과 외전 동작을 유도하면서 트레이닝 한다.

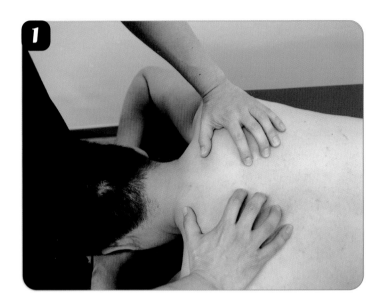

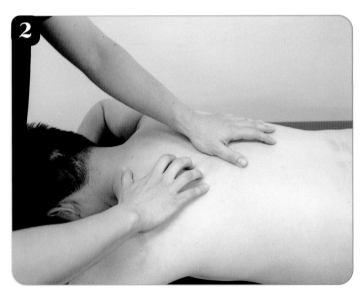

1. 치료사는 C7-T4라인에 손가락을 대고 견갑골 내측연 방향으로 근육-근막을 신장 시킨다.

2. 치료사의 한손은 견갑골 내측을 고정하고 손바닥 장측을 이용하여 극돌기 사선 방향으로 능형근을 신장 시킬 수 있다.

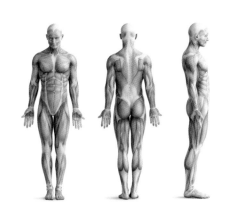

아래뒤톱니근(하후거근)
Serratus posterior inferior m.

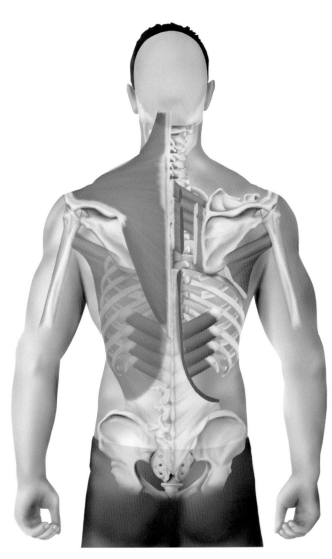

- 아래뒤톱니근(하후거근)은 일명 '선생님 근육'으로도 불린다. 또 허리통증의 마지막까지 나타나는 '성가신 잔여요통 근육'이라는 별명도 있다.
- 허리를 움직일 때에는 넓은등근(광배근)과 허리네모근(요방형근)과 협응하고, 엉덩허리근(장요근)과는 대항적이다.
- 허리가 과도하게 돌아가는 것을 저지한다.

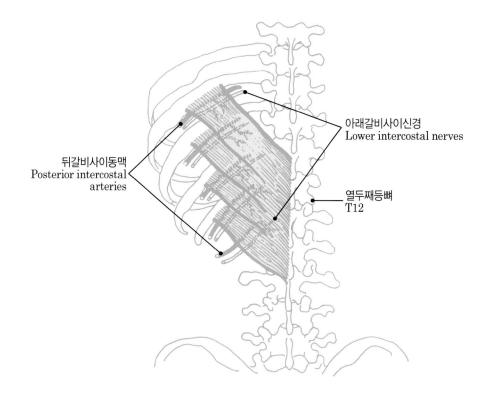

아래갈비사이신경
Lower intercostal nerves

열두째등뼈
T12

뒤갈비사이동맥
Posterior intercostal
arteries

시작점 마지막 2개의 등뼈와 처음 2개의 허리뼈가시돌기, 허리근막

정지점 아래쪽 4개의 갈비뼈아래모서리에서 그것들의 각을 넘는 부분

신경지배 아래쪽 3개의 등신경 앞가지

작 용 • 아래쪽갈비뼈를 고정시키고, 그것들을 모두 뒤쪽으로 끌어당기기
• 날숨 시에 기능

1. 치료사는 고객의 외회전을 유도하여 외회전 동작에 대하여 내회전 압력을 가하여 저항 운동을 시행할 수 있다.

2. 치료사는 하후거근 부위에 손을 촉지하여 감각 입력을 주고 고객이 내회전, 외회전 동작을 시행하여 근육을 활성화할 수 있다.

160

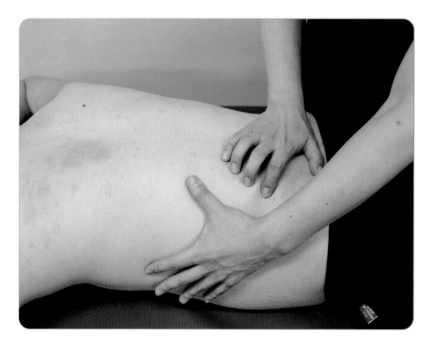

1. 치료사는 흉추12번, 요추1번·2번 부위극돌기 라인을 따라 사선으로 한손은 늑골방향을 따라 하후거 근의 근육-근막을 신장 시킬 수 있다.

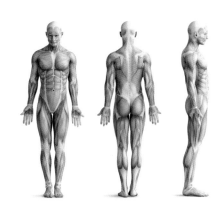

34

작은가슴근(소흉근)
Pectoralis minor m.

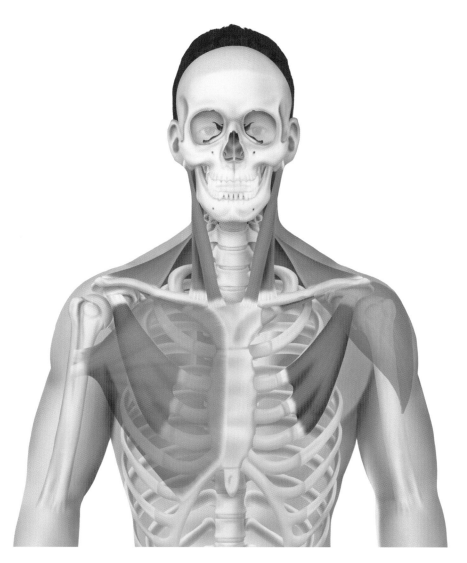

- 작은가슴근은 위팔신경얼기(상완신경총)가 지나가는 근육이다.
- 작은가슴근은 어깨를 안정시키는 중요한 역할을 하며, 등세모근 아래섬유와 마찬가지로 다른 근육에 의하여 발생하는 어깨뼈의 불필요한 운동을 제한한다.
- 작은가슴근이 단축되면 심장근육(심근)경색에 영향을 줄 수 있다.
- 야구, 역도 등 팔을 반복적으로 올리는 운동에 의해 영향을 받는다.

- 위팔신경얼기의 마비증세로 인해 작은가슴근의 기능이 저하된다.
- 상습적으로 팔을 올리고 엎드려 자는 습관은 작은가슴근의 통증을 유발하며, 자주 목발을 짚고 보행하면 신경과 근육이 눌려 통증이 온다.
- 무리한 벤치프레스는 작은가슴근에 통증을 일으킬 수 있다.

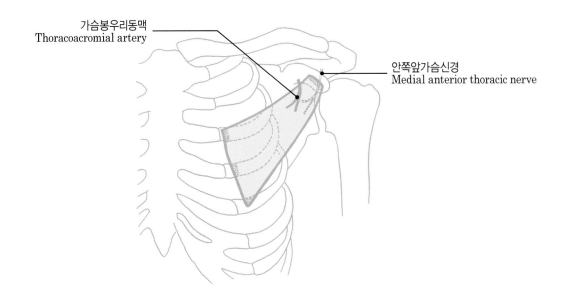

시작점	셋째~다섯째갈비뼈의 앞면
정지점	어깨뼈의 부리돌기
신경지배	안쪽가슴근신경
작 용	• 어깨 내리기 · 아래쪽돌리기 · 앞으로 기울이기(시상면) • 갈비뼈를 내려서 호흡 보조

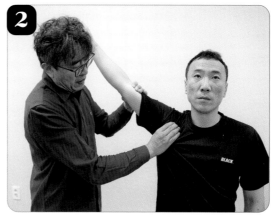

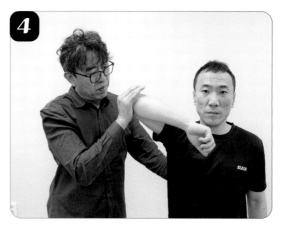

1. 치료사는 고객의 소흉근을 단독으로 촉지한 후 팔을 거상 외전 내전 시키는 어깨 관절 움직임을 다양
하게 유도하면서 소흉근의 단축을 제거해 줄 수 있다.

164

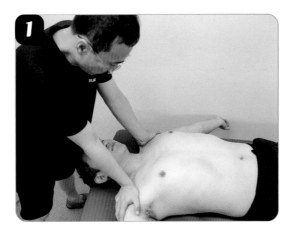

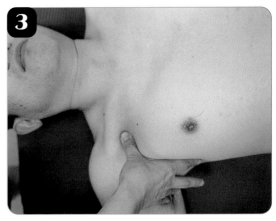

1. 치료사는 고객의 상완골두를 외회전 방향으로 가벼운 압력을 적용하여 어깨 관절의 긴장을 해소 시켜 줄 수 있다.

2. 치료사는 소흉근을 가볍게 근복을 잡고 근육이 자연스럽게 이완될 때까지 기다려 준다.

3. 치료사는 오구돌기 부위의 소흉근에 압박을 가하여 단축된 소흉근을 이완 시켜 줄 수 있다.

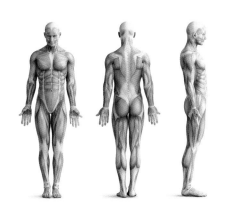

35

빗장밑근(쇄골하근)
Subclavius m.

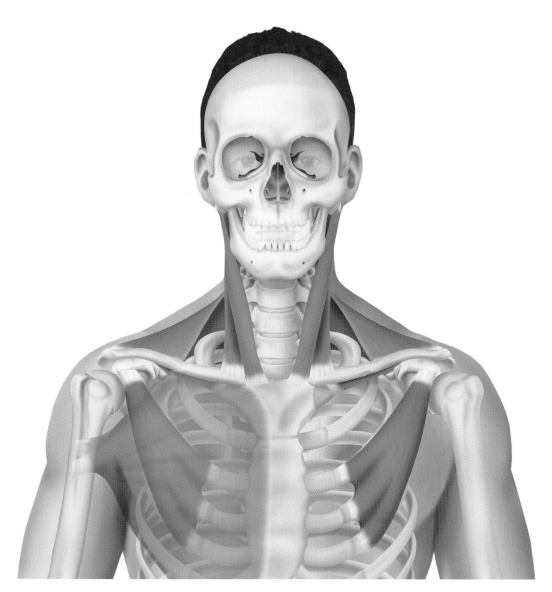

- 빗장밑근은 빗장뼈 밑에 자리잡고 있으며, 위팔신경얼기가 지나가는 근육이다.
- 빗장밑근은 빗장뼈와 거의 평행하게 주행하면서 주로 빗장뼈의 안정에 관여한다.
- 라운드숄더(둥근어깨)에 영향을 준다.

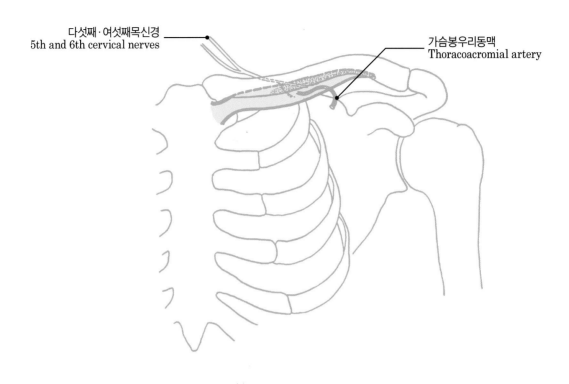

다섯째·여섯째목신경
5th and 6th cervical nerves

가슴봉우리동맥
Thoracoacromial artery

166

시작점	첫째갈비연골의 근육부위
정지점	빗장뼈의 아래면
신경지배	팔신경얼기 위신경줄기에서 나온 말초신경(다섯째 · 여섯째목뼈)
작 용	어깨 내리기

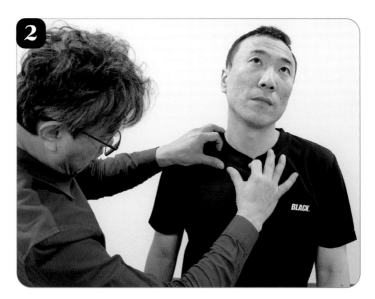

1. 치료사는 쇄골 밑에 4손가락을 대고 아래 방향으로 가볍게 스트레치 해준다.
2. 치료사는 쇄골 밑 쇄골하근을 엄지손가락으로 대고 이완을 해주며 고객의 고개를 15도 대각선 방향으로 신전을 유도한다.

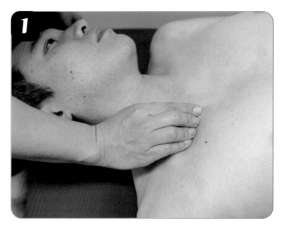

1. 치료사는 쇄골하근을 가볍게 촉지한 후 아래 방향으로 가볍게 근육 근막을 신장 한다.

2. 치료사는 양 엄지를 이용하여 양쪽으로 쇄골하근을 벌려 준다.

3. 치료사는 쇄골밑으로 파고 들어가는 가벼운 압력으로 쇄골하근의 근육-근막을 신장 한다.

36.

팔꿈치 · 손목 · 손가락을 움직이는 근육
Muscles that move elbow, hand and fingers

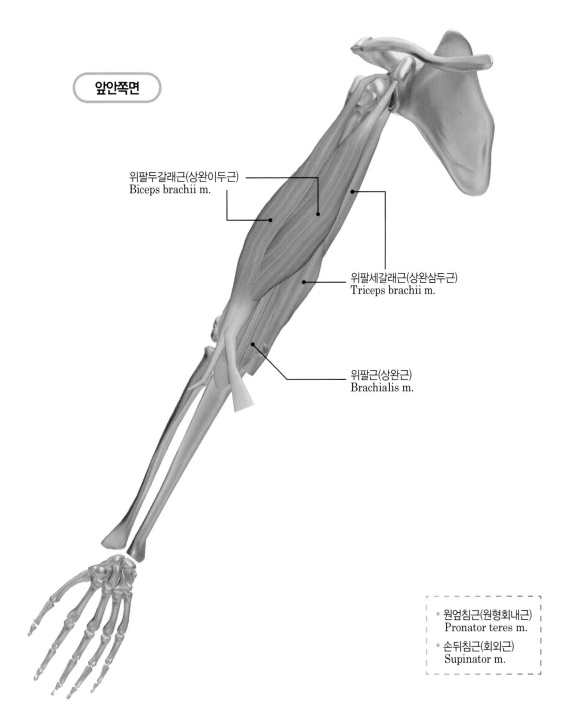

앞안쪽면

위팔두갈래근(상완이두근)
Biceps brachii m.

위팔세갈래근(상완삼두근)
Triceps brachii m.

위팔근(상완근)
Brachialis m.

- 원엎침근(원형회내근)
  Pronator teres m.
- 손뒤침근(회외근)
  Supinator m.

169

36. 팔꿈치 · 손목 · 손가락을 움직이는 근육

팔꿈치를 움직이는 대표적인 근육은 팔꿈치 굽혔다펴기에 관련되는 위팔두갈래근과 위팔세갈래근이다. 아래팔에서 손가락까지의 근육군은 힘든 일이나 작업 시에 힘을 발휘하고, 손가락의 근육군은 손가락의 미세한 움직임에 관여한다.

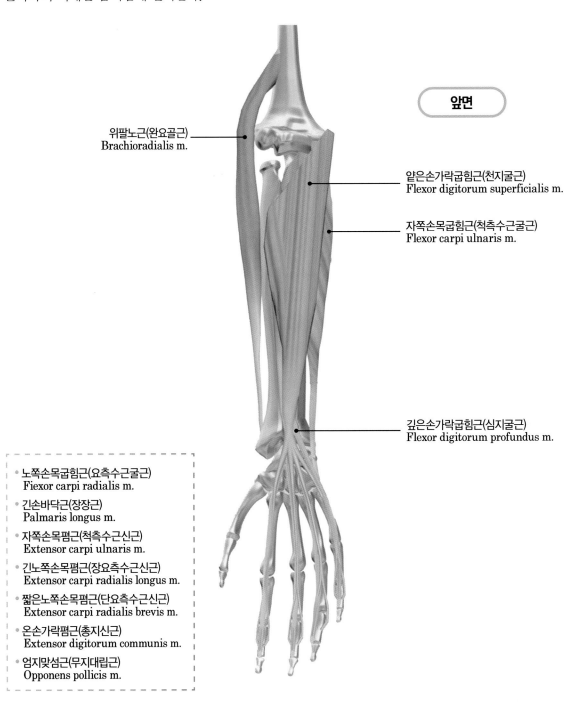

앞면

위팔노근(완요골근)
Brachioradialis m.

얕은손가락굽힘근(천지굴근)
Flexor digitorum superficialis m.

자쪽손목굽힘근(척측수근굴근)
Flexor carpi ulnaris m.

깊은손가락굽힘근(심지굴근)
Flexor digitorum profundus m.

* 노쪽손목굽힘근(요측수근굴근)
  Fiexor carpi radialis m.
* 긴손바닥근(장장근)
  Palmaris longus m.
* 자쪽손목폄근(척측수근신근)
  Extensor carpi ulnaris m.
* 긴노쪽손목폄근(장요측수근신근)
  Extensor carpi radialis longus m.
* 짧은노쪽손목폄근(단요측수근신근)
  Extensor carpi radialis brevis m.
* 온손가락폄근(총지신근)
  Extensor digitorum communis m.
* 엄지맞섬근(무지대립근)
  Opponens pollicis m.

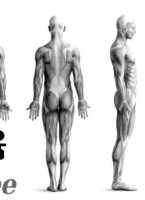

엉덩관절과 무릎을 움직이는 근육
Muscles that move hip joint and knee

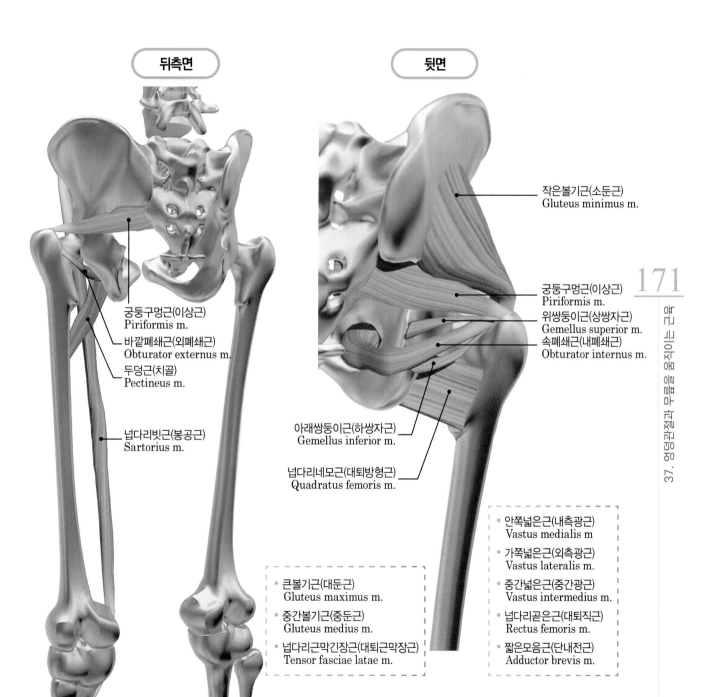

뒤측면

뒷면

작은볼기근(소둔근)
Gluteus minimus m.

궁둥구멍근(이상근)
Piriformis m.

위쌍둥이근(상쌍자근)
Gemellus superior m.

속폐쇄근(내폐쇄근)
Obturator internus m.

궁둥구멍근(이상근)
Piriformis m.

바깥폐쇄근(외폐쇄근)
Obturator externus m.

두덩근(치골)
Pectineus m.

넙다리빗근(봉공근)
Sartorius m.

아래쌍둥이근(하쌍자근)
Gemellus inferior m.

넙다리네모근(대퇴방형근)
Quadratus femoris m.

• 안쪽넓은근(내측광근)
Vastus medialis m

• 가쪽넓은근(외측광근)
Vastus lateralis m.

• 중간넓은근(중간광근)
Vastus intermedius m.

• 넙다리곧은근(대퇴직근)
Rectus femoris m.

• 짧은모음근(단내전근)
Adductor brevis m.

• 큰볼기근(대둔근)
Gluteus maximus m.

• 중간볼기근(중둔근)
Gluteus medius m.

• 넙다리근막긴장근(대퇴근막장근)
Tensor fasciae latae m.

엉덩관절을 움직이는 근육은 엉덩관절 굽히기 · 펴기, 모으기 · 벌리기, 가쪽돌리기 · 안쪽돌리기이
다. 무릎을 움직이는 근육은 무릎 굽히기 · 펴기, 종아리 앞쪽 및 가쪽돌리기이다.

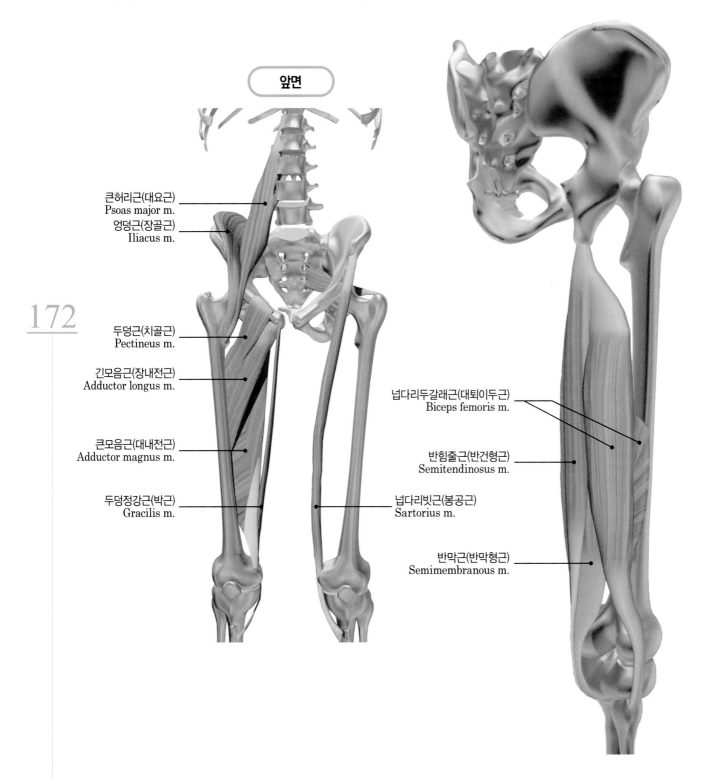

앞면

큰허리근(대요근)
Psoas major m.

엉덩근(장골근)
Iliacus m.

두덩근(치골근)
Pectineus m.

긴모음근(장내전근)
Adductor longus m.

큰모음근(대내전근)
Adductor magnus m.

두덩정강근(박근)
Gracilis m.

넙다리두갈래근(대퇴이두근)
Biceps femoris m.

반힘줄근(반건형근)
Semitendinosus m.

넙다리빗근(봉공근)
Sartorius m.

반막근(반막형근)
Semimembranous m.

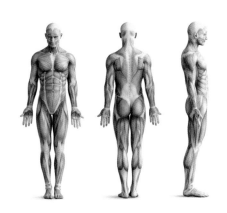

큰볼기근(대둔근)
Gluteus maximus m.

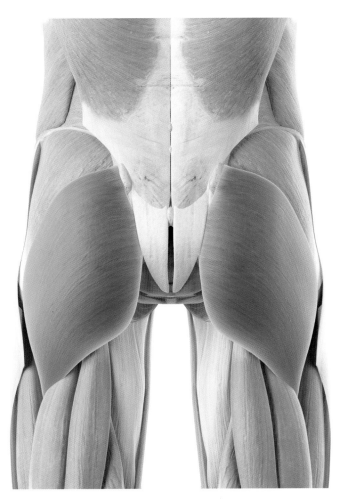

- 큰볼기근은 볼기부위를 둘러싸고 있는 넓고 큰 근육섬유다발로, 볼기부위의 반 이상을 차지하고 있다.

- 큰볼기근은 중간볼기근 뒷부분 · 아랫부분 및 작은볼기근을 덮고 있다.

- 큰볼기근은 허리와 다리의 통증 치료와 미용학적 측면에서 중요하다.

- 걸을 때 큰허리근의 대항근이 되며, 엉덩관절을 펴주는 강력한 기능이 있다.

- 다리쪽에 나타나는 대부분의 증상을 치료할 때 반드시 살펴보고 느껴봐야 할 근육이며, 궁둥신경 에너지 흐름의 포인트이다.

- 근력이 떨어지면 힙 라인이 사라지면서 일자 엉덩이로 변하게 된다.

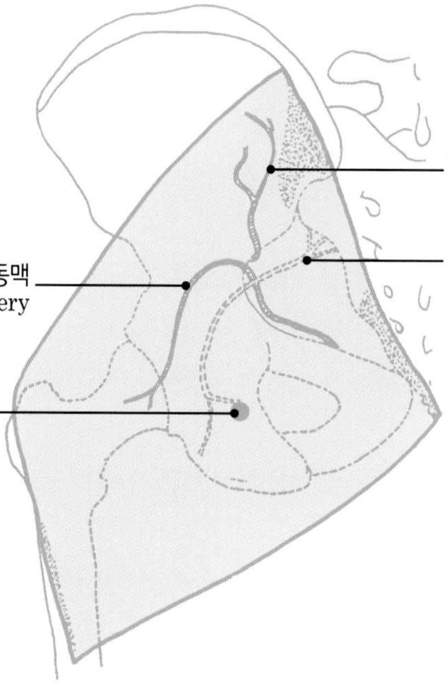

위볼기동맥
Superior gluteal artery

아래볼기신경
Inferior gluteal nerve

아래볼기동맥
Inferior gluteal artery

운동점

시작점 뒤엉덩뼈, 엉치뼈, 꼬리뼈, 엉치결절 및 엉치엉덩인대

정지점 엉덩정강근막띠와 볼기근 거친면

신경지배 아래볼기신경(L4~S2)

작 용 • 엉덩관절 펴기(특히 굽힌 자세에서 펴기)·가쪽돌리기
　　　　• 무릎 펴기

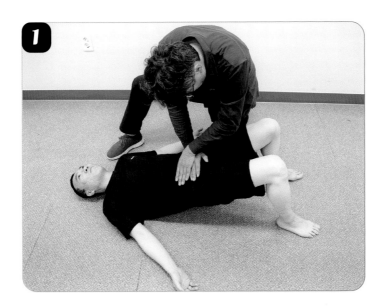

1. 치료사는 고객에게 브릿지 자세를 취하게 한 후 복부에 안정감을 제공한 후 엉덩이 대둔근이 수축하는지 살펴 보면서 유도한다.

2. 치료사는 고객에게 네발기기 자세에서 한쪽 다리를 들어올리게 한 후 아래 방향으로 저항을 주어 대둔근을 수축시켜 강화 운동을 시행할 수 있다.

176

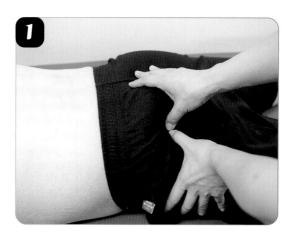

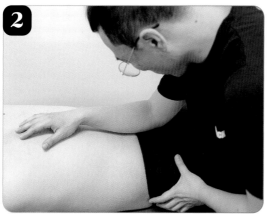

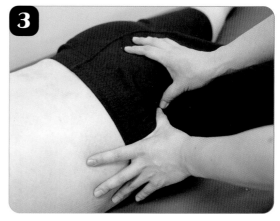

1. 치료사는 대둔근의 근복을 엄지로 비교적 강하게 압박하여 TP를 제거할 수 있다.

2. 치료사는 주관절을 이용하여 대둔근의 상부 근막을 이완할 수 있다.

중간 · 작은볼기근(중 · 소둔근)
Gluteus medius / minimus m.

중간볼기근
Gluteus medius m.

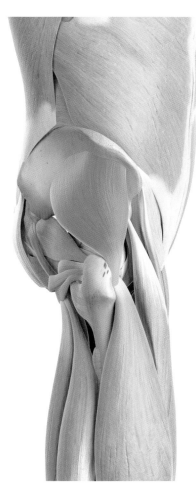

작은볼기근
Gluteus minimus m.

- 중간볼기근은 엉덩관절벌림근 중에서 가장 크며, 벌림근 단면적의 약 60%를 차지하고 있다.

- 보행 시 다리의 균형을 잡아주며, O다리와 X다리 교정을 위해서도 반드시 살펴보아야 할 근육이다.

- 일명 '주사근육'으로 골반의 비대칭을 유발할 수 있는 근육이다.

- 중간볼기근이 약해지면 바지를 입을 때 서서 한 발을 들고 입는 동작보다는 앉아서 입는 것이 좋다.

- 궁둥신경이상, 궁둥구멍근증후군, 디스크의 방사통을 한번에 잡아주는 근육이다.
- 중간볼기근과 작은볼기근은 대부분 큰볼기근이 덮고 있다.
- 중간볼기근과 작은볼기근의 앞쪽근육다발은 엉덩관절이 안쪽으로 돌아갈 때 작용한다.
- 작은볼기근은 중간볼기근과 형태는 비슷하지만 약간 작다. 깊은부위에 있으며, 중간볼기근의 앞쪽에 위치한다.

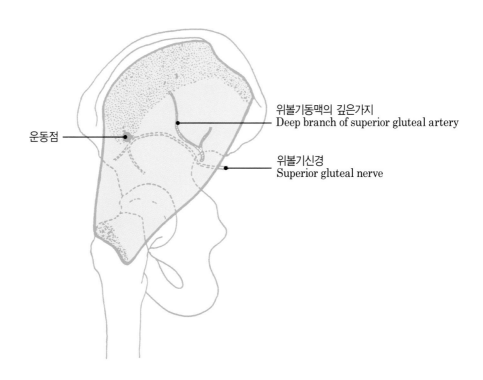

운동점

위볼기동맥의 깊은가지
Deep branch of superior gluteal artery

위볼기신경
Superior gluteal nerve

178

| **시작점** | **중간볼기근** : 엉덩뼈 가쪽면, 볼기근막 |
| | **작은볼기근** : 엉덩뼈 가쪽면 |

| **정지점** | **중간볼기근** : 넙다리뼈 큰돌기의 첨단과 가쪽면 |
| | **작은볼기근** : 넙다리뼈 큰돌기의 앞면 |

| **신경지배** | **중간볼기근** : 위볼기신경(LS~S1) |
| | **작은볼기근** : 위볼기신경(LS~S1) |

| **작 용** | **중간볼기근** : 엉덩관절 벌리기 |
| | **작은볼기근** : 엉덩관절 벌리기 · 안쪽돌리기 |

재활 근육 운동법

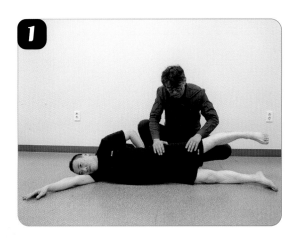

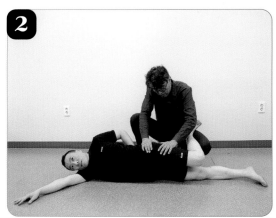

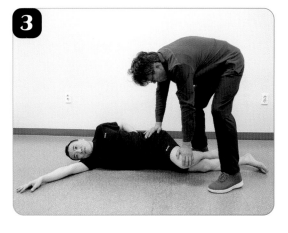

1. 치료사는 고객을 옆으로 눕히고 다리를 15도 정도 뒤로 빼게 한 후 다리를 들어 올리게 하여 중둔근, 소둔근을 수축 시킬 수 있다.

2. 치료사는 고객을 옆으로 눕히고 무릎을 90도 굴곡한 후 다리를 들어 올리게 하여 중둔근, 소둔근을 수축 시킬 수 있다.

3. 치료사는 고객의 무릎을 굴곡한 후 다리를 앞으로 조금 뺀 후 고관절 외회전 방향으로 고객의 자세를 유도하면서 내회전 방향으로 저항을 주어 강화 운동을 시행할 수 있다.

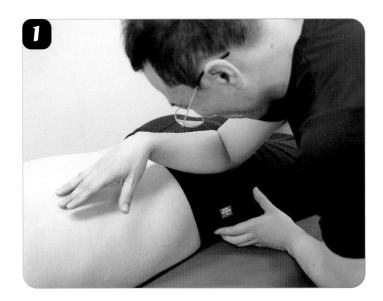

1. 치료사는 고객의 엉덩이를 4등분 하는 가상의 선을 긋고 1/4 외측 상부 지점, 고관절 있는 부위에 주 관절을 이용하여 고정한 후 중둔근의 근막을 이완하여 전체적인 고관절의 균형을 맞춰 줄 수 있다.

넙다리근막긴장근(대퇴근막장근)
Tensor fasciae latae m.

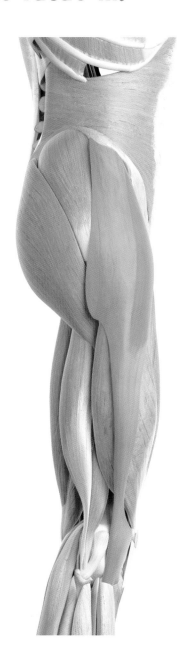

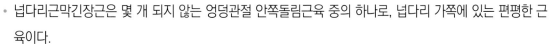

- 넙다리근막긴장근은 몇 개 되지 않는 엉덩관절 안쪽돌림근육 중의 하나로, 넙다리 가쪽에 있는 편평한 근육이다.

- 넙다리근막긴장근이 긴장성 단축을 하면 허리뼈(요추)만곡이 증가된다. 하이힐을 자주 신는 여성의 허리 통증을 개선하려면 반드시 이 근육을 함께 풀어주어야 한다.
- 산길 등 고르지 못한 길을 장시간 걷고 나면 다리에 공허하게 허한 느낌이 오는 것도 넙다리근막긴장근의 긴장 때문이다. 이 근육에는 종아리신경이 지나고 있어 발목을 굽히고 펴는 동작에도 영향을 준다.
- 무릎 · 발목 · 골반 · 허리 등 다리부위 전반에 걸친 통증이나 질환 또는 이상이 발생하면 반드시 처치해야 할 근육이다.

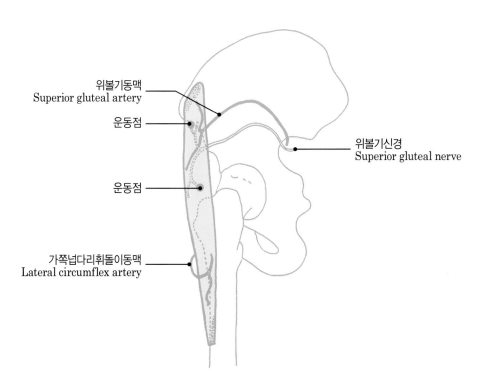

시작점	위앞엉덩뼈가시의 뒤쪽부터 엉덩뼈능선의 가쪽면
정지점	엉덩정강근막띠의 몸쪽부분
신경지배	위볼기신경(LS~S1)
작용	엉덩관절 굽히기 · 벌리기 · 안쪽돌리기

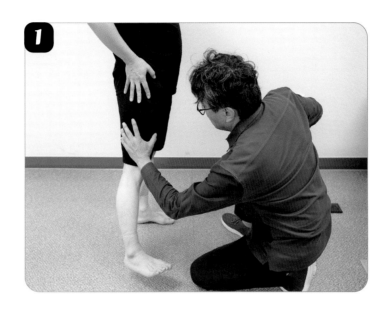

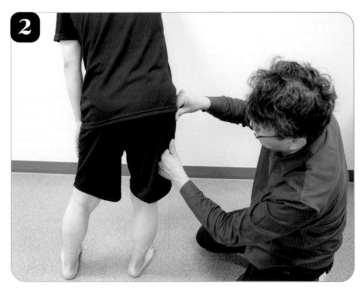

1. 치료사는 대퇴근막장근, 장경인대를 촉지한 후 고객의 체간을 좌우로 왔다 갔다 하라고 지시하면서 근막장근과 장경인대를 활성하는 동시에 이완을 유도할 수 있다.
2. 치료사는 고객의 엉덩관절을 바깥방향으로 빼게 한 후 근막장근과 장경인대를 신장 시킬 수 있다.

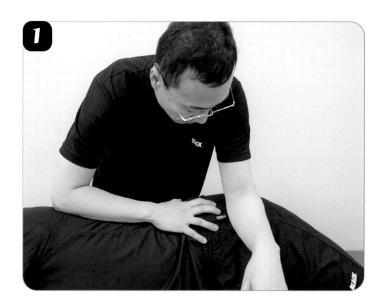

184

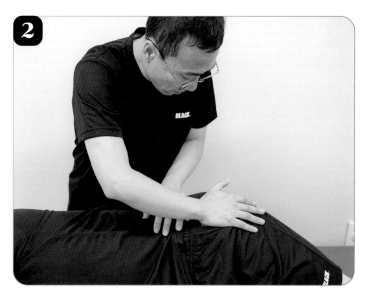

1. 치료사의 한손은 ASIS 부위를 가볍게 고정하고 한쪽 주관절을 이용하여 대퇴근막장근을 고정하고 가볍게 늘려 준다.
2. 치료사의 한손은 한손은 ASIS를 고정하고 한손의 손바닥 장측을 이용하여 아래 방향으로 대퇴근막장근을 신장 시켜 줄 수 있다.

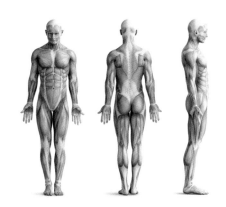

41.

엉덩허리근(장요근)
Iliopsoas m.

큰허리근(대요근)*Psoas major m.* / **작은허리근(소요근)***Psoas minor m.* /
엉덩근(장골근)*Iliacus m.*

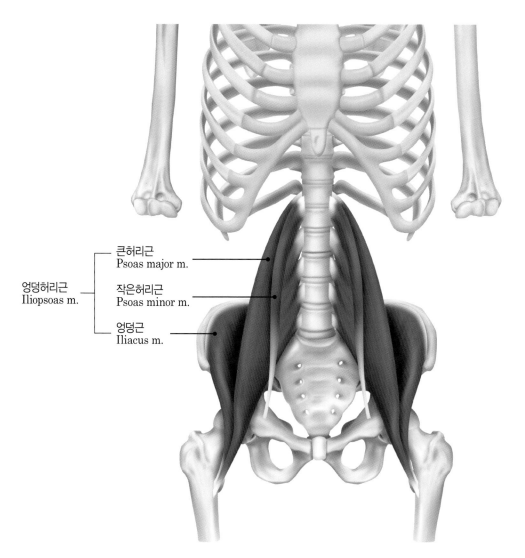

엉덩허리근
Iliopsoas m.

큰허리근
Psoas major m.

작은허리근
Psoas minor m.

엉덩근
Iliacus m.

- 가장 강력한 엉덩관절굽힘근육으로 큰허리근 · 작은허리근 · 엉덩근을 합쳐서 엉덩허리근이라 한다.
- 배곧은근(복직근), 허리네모근(요방형근)과 함께 골반부위의 균형을 잡아주는 중요한 근육이다.

- 엉덩허리근의 위치가 오름주름창자의 맹장 부분과 같기 때문에 이 근육에 문제가 생기면 맹장염으로 오인받기도 한다.
- 배근육이 약해지면 내장이 밀고 나오는 힘에 의해 엉덩허리근에 압박이 온다.
- 미용학적으로는 통증(허리통증 등 모든 수기요법의 기본요법)을 잡는 첫 번째 근육이다.
- 사이클선수처럼 허리를 굽히는 동작을 하면 이 근육을 단축시킨다. 침대에 누워 다리를 늘어뜨리는 동작으로 스트레칭하면 이 근육의 단축이 완화된다.

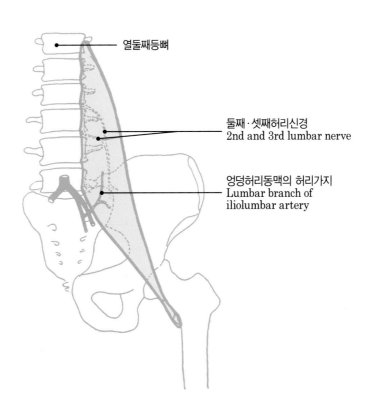

열둘째등뼈

둘째·셋째허리신경
2nd and 3rd lumbar nerve

엉덩허리동맥의 허리가지
Lumbar branch of
iliolumbar artery

엉덩허리동맥의 엉덩가지
Iliac branch of iliolumbar artery

넙다리신경의 근육가지
Muscular branches of femoral nerve

시작점 **큰허리근 얕은갈래** : 열둘째등뼈~넷째허리뼈의 척추사이원반

  큰허리근 깊은갈래 : 허리뼈 전체의 갈비뼈돌기

  작은허리근 : 열둘째등뼈 및 첫째허리뼈와 그 척추사이원반 가쪽면

  엉덩근 : 엉덩뼈 안쪽의 엉덩뼈오목

정지점 **큰허리근** : 넙다리뼈 작은돌기

  작은허리근 : 두덩근선, 엉덩두덩융기

  엉덩근 : 넙다리뼈 작은돌기

신경지배 **큰허리근** : 허리신경다발의 가지(L1~L4)

  작은허리근 : 첫째 · 둘째허리신경

  엉덩근 : 허리신경다발의 가지(L1~L4)

작 용 **큰허리근** : 엉덩관절 굽히기 · 가쪽돌리기

  작은허리근 : 골반 굽히기

  엉덩근 : 엉덩관절 굽히기 · 가쪽돌리기

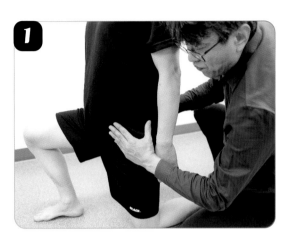
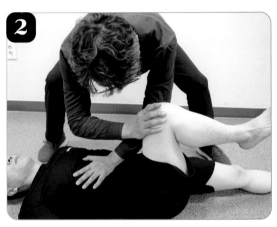

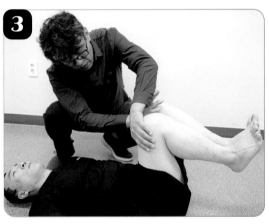

1. 치료사는 고객의 한쪽 무릎을 구부리게 한 후 반 무릎 자세에서 장요근을 스트레칭할 수 있다.

2. 치료사는 고객이 바로 누운자세에서 무릎을 90도 굴곡한 후 고관절을 굴곡하는 방향에 대하여 저항을 주어 장요근 강화 운동 및 근육 신장을 유도할 수 있다.

3. 치료사는 고객이 양쪽 무릎을 90도 굴곡하게 한 후 고관절 굴곡부위에 저항 운동을 시행하여 장요근의 안정성 증진과 긴장 완화 및 강화 운동을 시행할 수 있다.

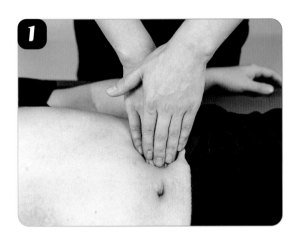

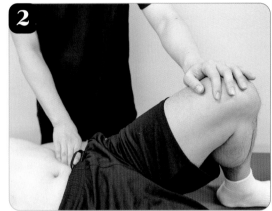

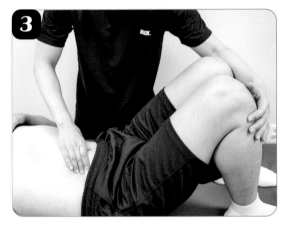

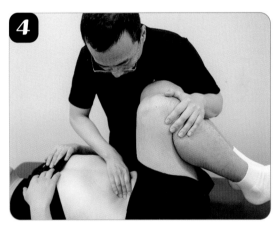

1. 치료사는 복직근의 바깥 경계에서 1cm 외측선으로 접근하여 장요근을 촉지할 수 있다.

2. 치료사는 고객의 무릎을 90도 구부리게 한 후 접근하여 더욱 깊게 장요근을 촉지할 수 있다.

3. 치료사는 고객의 무릎을 잡고 양쪽으로 고관절을 내전, 외전 시키면서 장요근의 근복을 가볍게 하면서 장요근의 근 긴장 조절을 할 수있다.

4. 치료사는 고객의 무릎을 90도 굴곡 시킨 후 고관절 굴곡을 유도하면서 양쪽 장요근을 압박하면서 장요근의 긴장 완화 및 강화 근육 신장을 함께 도모할 수 있다.

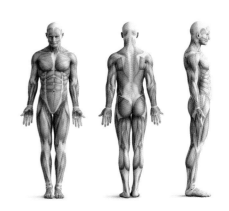

궁둥구멍근(이상근)
Piriformis m.

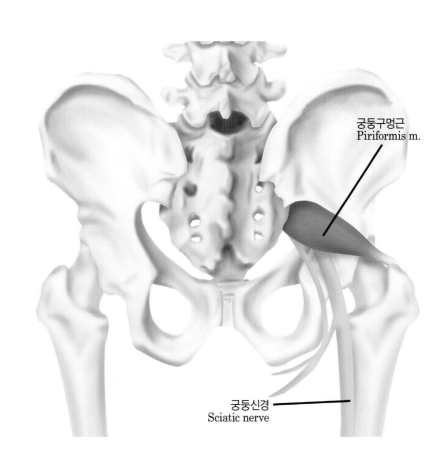

궁둥구멍근
Piriformis m.

궁둥신경
Sciatic nerve

- 궁둥구멍근은 볼기의 근육군에 속한다. 뒤쪽에서 보면 작은볼기근(소둔근) 아래쪽에 있다.

- 허리에서 항상 말썽을 일으키는 근육이다.

- 궁둥신경의 일부 또는 전체가 이 근육 사이를 지나기 때문에 그 구멍 사이의 압박으로 다리로 방사통이 생겨난다.

- 엉덩관절을 가쪽으로 돌리면서 저항을 주면 통증이 유발된다.

- 과긴장은 허리뼈의 전만을 일으키며, 성교 시 여성에게 허리엉치부분의 통증을 일으킨다.

- 허리와 다리의 전반적인 관리 시에 신경써야 할 근육이다.

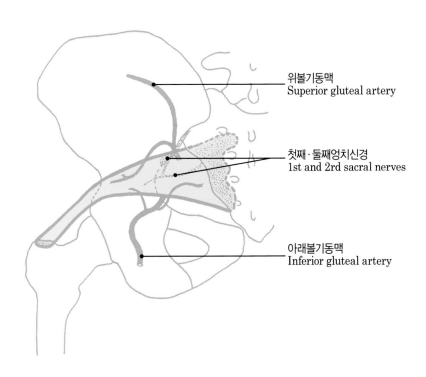

위볼기동맥
Superior gluteal artery

첫째·둘째엉치신경
1st and 2rd sacral nerves

아래볼기동맥
Inferior gluteal artery

시작점	앞엉치뼈구멍 사이의 엉치뼈골반면, 큰궁둥뼈구멍모서리, 엉치결절인대
정지점	넙다리뼈큰돌기의 위모서리
신경지배	첫째 · 둘째엉치신경
작 용	엉덩관절 가쪽돌리기, 엉덩관절을 굽힐 때 엉덩관절 벌리기

1. 치료사는 고객의 좌골 결절 위 라인에 주먹을 넣어 중수지절 관절의 융기 부분으로 이상근의 이완을 유도할 수 있다.

2. 치료사는 고객의 다리를 꼬게 한 후 이상근을 스트레칭을 유도할 수 있다.

3. 고객은 양반다리 자세에서 이상근을 스트레칭할 수 있다.

수기재활법

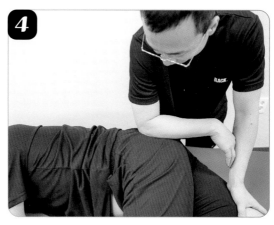

1. 치료사는 이상근의 근복을 압박하여 근 긴장을 유도할 수 있다.

2. 치료사는 천장관절 부위를 압박하여 이상근의 긴장을 완화할 수 있다.

엉덩관절가쪽돌림근육군(고관절외선근군)
Hip joint external rotators group

속폐쇄근(내폐쇄근)_Obturator internus m._
위쌍동이근(상쌍자근)_Gemellus superior m._
아래쌍동이근(하쌍자근)_Gemellus inferior m._
허리네모근(요방형근)_Quadratus femoris m._
바깥폐쇄근(외폐쇄근)_Obturator externus m._

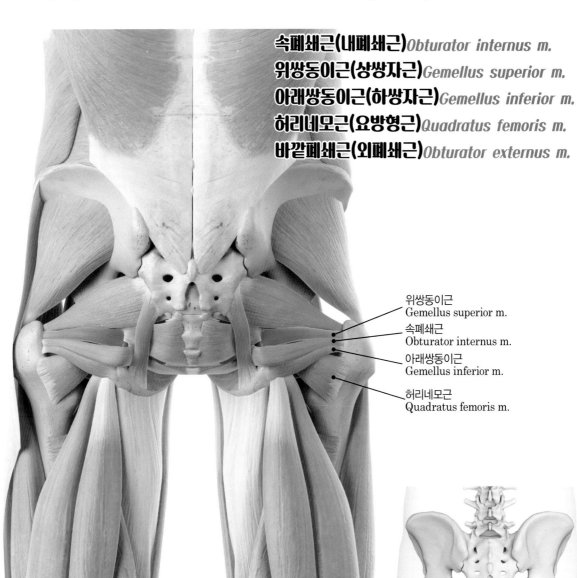

위쌍동이근
Gemellus superior m.

속폐쇄근
Obturator internus m.

아래쌍동이근
Gemellus inferior m.

허리네모근
Quadratus femoris m.

바깥폐쇄근
Obturator externus m.

- 속폐쇄근 · 위쌍동이근 · 아래쌍동이근 · 허리네모근 · 바깥폐쇄근은 엉덩관절가쪽돌림근육군이다.
- 속폐쇄근 · 위쌍둥이근 · 아래쌍동이근은 큰볼기근 깊은부위의 궁둥구멍근(이상근) 꼬리쪽에 있는 작은 근육들이다. 그리고 허리네모근은 큰볼기근(대둔근) 깊은부위의 아래쌍동이근 꼬리쪽에 있는 사각형의 근육이다.
- 허리네모근은 허리뼈 안쪽의 등허리근막(요배근막) 앞에 있는 직사각형의 근육이다.
- 허리네모근은 골반을 끼고 엉덩관절을 위로 올려주는 근육으로 '엉덩관절올림근'이라고도 한다.
- 허리네모근은 바닥에 앉은 상태에서 옆으로 굽혀 물건을 주워들 때 사용된다.

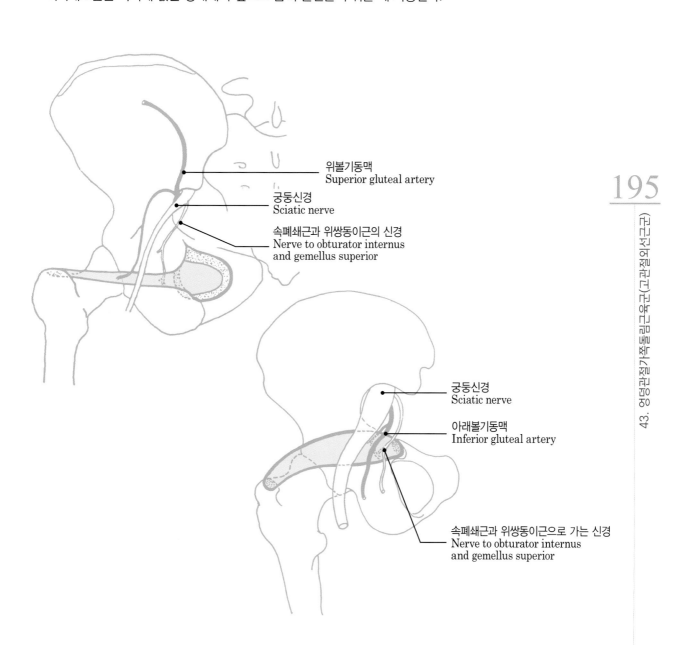

위볼기동맥
Superior gluteal artery

궁둥신경
Sciatic nerve

속폐쇄근과 위쌍동이근의 신경
Nerve to obturator internus
and gemellus superior

궁둥신경
Sciatic nerve

아래볼기동맥
Inferior gluteal artery

속폐쇄근과 위쌍동이근으로 가는 신경
Nerve to obturator internus
and gemellus superior

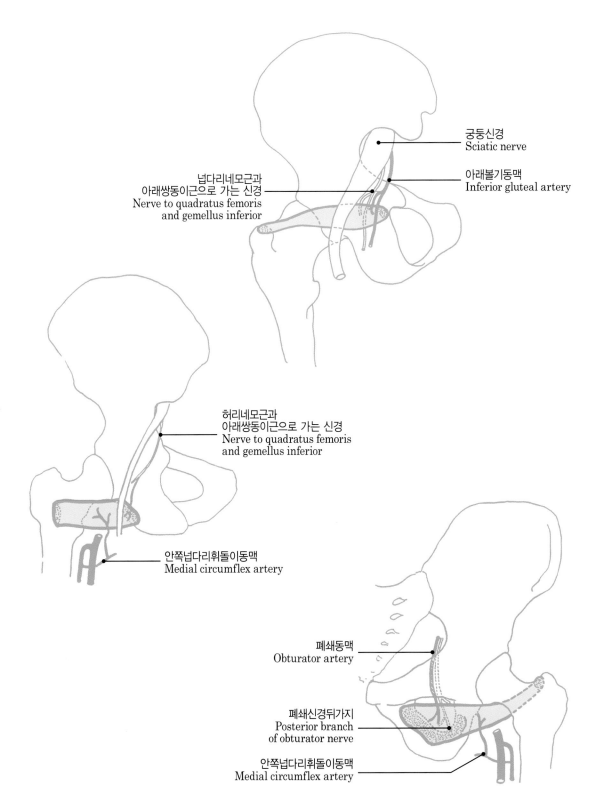

궁둥신경
Sciatic nerve

아래볼기동맥
Inferior gluteal artery

넙다리네모근과
아래쌍동이근으로 가는 신경
Nerve to quadratus femoris
and gemellus inferior

허리네모근과
아래쌍동이근으로 가는 신경
Nerve to quadratus femoris
and gemellus inferior

안쪽넙다리휘돌이동맥
Medial circumflex artery

폐쇄동맥
Obturator artery

폐쇄신경뒤가지
Posterior branch
of obturator nerve

안쪽넙다리휘돌이동맥
Medial circumflex artery

시작점 **속폐쇄근** : 폐쇄구멍모서리, 폐쇄막, 폐쇄구멍의 등뒤 및 윗부분의 볼기뼈골반면,
폐쇄근막

위쌍동이근 : 궁둥뼈가시의 바깥면

아래쌍동이근 : 궁둥뼈결절의 윗부분

허리네모근 : 궁둥뼈결절의 가쪽모서리

바깥폐쇄근 : 폐쇄구멍의 바깥모서리, 폐쇄막의 가쪽면

정지점 **속폐쇄근** : 큰돌기의 안쪽면

위쌍동이근 : 큰돌기의 안쪽면, 속폐쇄근힘줄과 함께 부착

아래쌍동이근 : 큰돌기의 안쪽면, 속폐쇄근의 힘줄과 함께 부착

허리네모근 : 넙다리뼈의 허리네모근결절, 허리네모근선

바깥폐쇄근 : 넙다리뼈의 돌기오목

신경지배 **속폐쇄근** : 속폐쇄근과 위쌍동이근으로 가는 신경

위쌍동이근 : 속폐쇄근과 위쌍동이근으로 가는 신경

아래쌍동이근 : 넙다리네모근과 아래쌍동이근으로 가는 신경

허리네모근 : 허리네모근과 아래쌍동이근으로 가는 신경

바깥폐쇄근 : 폐쇄신경뒤가지

작 용 **속폐쇄근** : 엉덩관절 가쪽돌리기, 엉덩이를 굽힐 때 엉덩관절 회전하기

위쌍동이근 : 엉덩관절 가쪽돌리기

아래쌍동이근 : 엉덩관절 가쪽돌리기

허리네모근 : 엉덩관절 모으기 및 가쪽돌리기

바깥폐쇄근 : 엉덩관절 모으기 및 가쪽돌리기

재활 근육 운동법

198

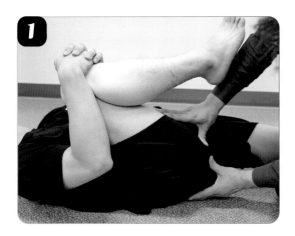

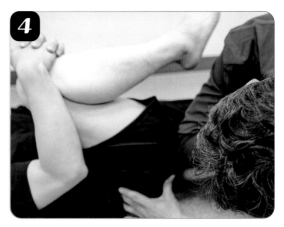

1. 치료사는 엉덩관절의 외회전을 유도하기 위하여 내측 천장 관절 라인에 엄지, 중수지절 관절을 이용하여 압박력을 제공하여 단축된 외회전 근육의 신장을 유도할 수 있다.

2. 치료사는 주관절을 이용하여 전체적으로 단축된 외회전 근육을 가볍게 압박하여 근긴장을 완화할 수 있다.

수기재활법

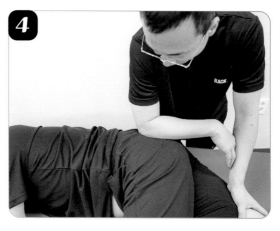

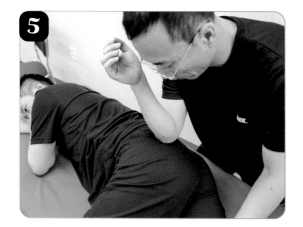

1. 치료사는 천장 관절 라인을 주관절을 이용하여 고정하여 유착된 근막띠를 전체적으로 흔들어 풀어 줄 수 있다.

44

넙다리네갈래근(대퇴사두근)
Quadriceps femoris m.

넙다리곧은근(대퇴직근) Rectus femoris m.
안쪽넓은근(내측광근) Vastus medialis m.
가쪽넓은근(외측광근) Vastus lateralis m.
중간넓은근(중간광근) Vastus intermedius m.

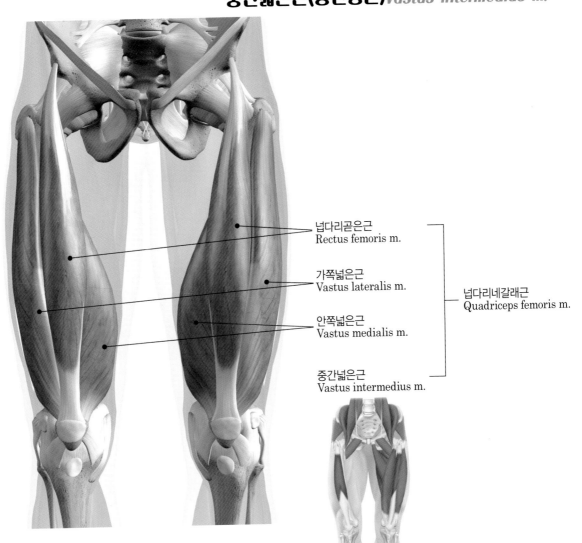

넙다리곧은근
Rectus femoris m.

가쪽넓은근
Vastus lateralis m.

안쪽넓은근
Vastus medialis m.

넙다리네갈래근
Quadriceps femoris m.

중간넓은근
Vastus intermedius m.

- 넙다리네갈래근을 구성하는 근육은 넙다리곧은근 · 안쪽넓은근 · 가쪽넓은근 · 중간넓은근이다.
- 넙다리네갈래근은 넙다리 앞면에 있는 강력한 근육으로, 무릎을 똑바로 올렸다내리는 역할을 한다.
- 넙다리곧은근은 높은 곳에 오를 때 체중의 쏠림에 의하여 큰 부하가 걸리는 근육으로 2개 관절의 움직임에 관여하며, 골반의 변형인 허리뼈앞굽음(요추전만)에 영향을 준다.
- 넙다리곧은근은 엉덩관절과 무릎관절의 앞쪽에 있기 때문에 엉덩관절의 굽힘근과 무릎관절의 폄근으로 활동한다. 이 긴 깃근육은 엉덩관절을 펴서 무릎을 굽히는 무릎굽힘근군(hamstrings)과 대비된다. 단 하나의 대항근이다.
- 앉았다 일어날 때 무릎을 짚고 일어나면 넙다리곧은근에 문제가 있다고 볼 수 있다.
- 안쪽넓은근은 무릎뼈의 균형, O다리, X다리에 관여한다. 이 근육의 근력이 약해지면 X다리가 되기 쉽다. 이때 무릎을 가쪽으로 돌리면 무릎에 통증이 오며, 엄지발가락가쪽휨(외반무지)처럼 발 안쪽에 체중이 쏠린다.
- 가쪽넓은근은 넙다리네갈래근 중에서 가장 큰 근육이기 때문에 근력이 가장 세다. 이 근육이 발생시키는 근력의 특징은 견인의 방향이 가쪽으로 향하는 것이다. 이러한 가쪽으로 향하는 견인의 힘이 안쪽넓은근이 안쪽으로 견인하는 힘보다도 크기 때문에 안쪽-가쪽 방향의 힘의 균형이 무너진다. 이 균형의 붕괴가 무릎뼈의 이상한 움직임이나 가쪽방향으로의 무릎뼈탈구가 일어나기 쉬운 이유 중의 하나이다.
- 중간넓은근은 넙다리네갈래근 중에서 가장 깊은부위에 있으며, 넙다리곧은근 바로 아래에 위치한다.

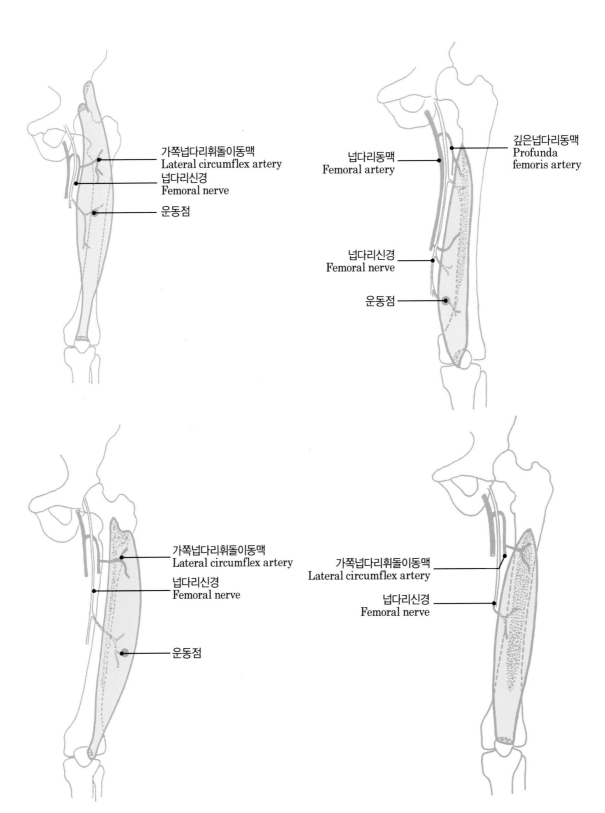

가쪽넙다리휘돌이동맥
Lateral circumflex artery

넙다리신경
Femoral nerve

운동점

넙다리동맥
Femoral artery

깊은넙다리동맥
Profunda
femoris artery

넙다리신경
Femoral nerve

운동점

가쪽넙다리휘돌이동맥
Lateral circumflex artery

넙다리신경
Femoral nerve

운동점

가쪽넙다리휘돌이동맥
Lateral circumflex artery

넙다리신경
Femoral nerve

시작점	**넙다리곧은근** : 아래앞엉덩뼈가시
	안쪽넓은근 : 넙다리뼈몸통 거친선 안쪽선과 넙다리뼈돌기 사이
	가쪽넓은근 : 넙다리뼈몸통 거친선 가쪽선, 넙다리뼈 돌기 사이, 큰돌기의 가쪽부분
	중간넓은근 : 넙다리뼈 앞면의 위 2/3

정지점	**넙다리곧은근** : 정강뼈거친면
	안쪽넓은근 : 정강뼈거친면
	가쪽넓은근 : 정강뼈거친면
	중간넓은근 : 정강뼈거친면

신경지배	**넙다리곧은근** : 넙다리신경
	안쪽넓은근 : 넙다리신경
	가쪽넓은근 : 넙다리신경
	중간넓은근 : 넙다리신경

작 용	**넙다리곧은근** : 무릎 펴기 · 굽히기
	안쪽넓은근 : 무릎 펴기
	가쪽넓은근 : 무릎 펴기
	중간넓은근 : 무릎 펴기

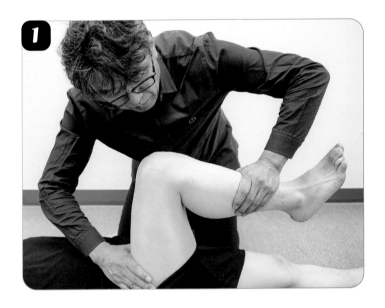

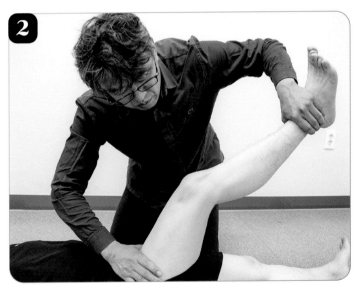

1. 치료사는 고객의 무릎관절을 90도 굴곡한 후 180도 신전 방향에 대하여 아래 방향으로 저항을 주어 대퇴사두근의 강화 운동을 시행할 수 있다.

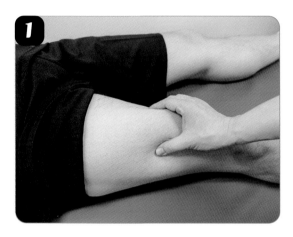

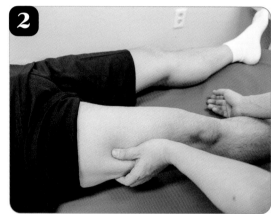

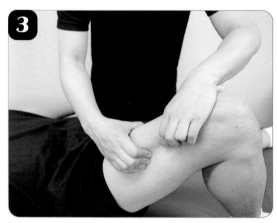

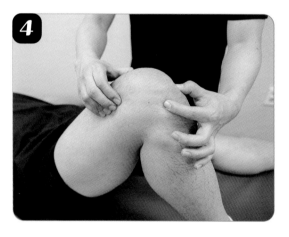

1. 치료사는 대퇴사두근의 대퇴직근 근복을 잡고 가벼운 압박력을 제공하여 근 긴장이 완화되는 것을 느끼면서 기다려 준다.

2. 치료사는 외측 광근의 근복을 잡고 기다려 주면 외측 광근의 근 긴장이 완화됨을 느낄 수 있다.

3. 치료사는 대퇴직근의 근복을 잡고 세로 방향으로 근육 신장을 유도하여 대퇴직근의 근긴장도를 적절하게 되돌려 줄 수 있다.

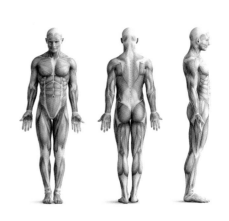

45

두덩정강근(박근)
Gracilis m.

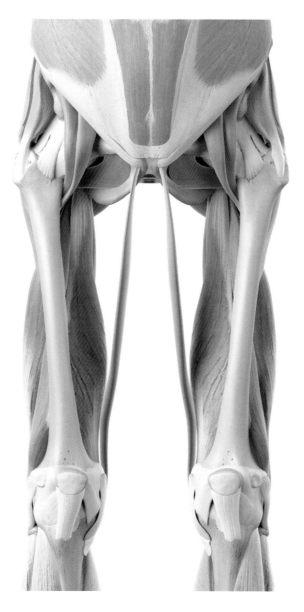

- 두덩정강근은 넙다리 안쪽을 주행하는 띠 모양의 근육으로 2관절근이다.

- 두덩정강근이라는 단어는 '가냘프고 우아한(gracile)'이라는 단어와 관련이 있다.

- 두덩정강근에 부착된 힘줄은 거위발(아족)의 일부를 형성하여 무릎관절 안쪽에 지지성을 부여한다.

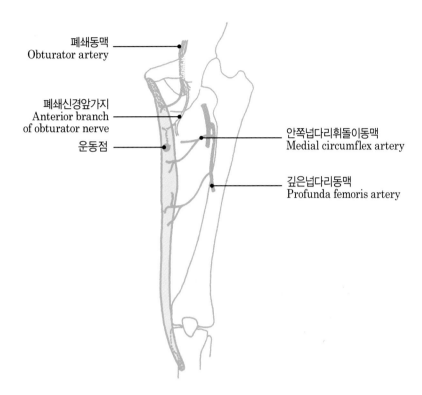

폐쇄동맥
Obturator artery

폐쇄신경앞가지
Anterior branch
of obturator nerve

운동점

안쪽넙다리휘돌이동맥
Medial circumflex artery

깊은넙다리동맥
Profunda femoris artery

시작점	두덩뼈몸통과 다리
정지점	정강뼈의 몸쪽안쪽면(거위발)
신경지배	폐쇄신경(L2~L4)
작용	• 엉덩관절 모으기 · 굽히기 • 무릎 굽히기 · 안쪽돌리기

재활 근육 운동법

1. 치료사는 고객의 안쪽 박근 라인을 잡고 안정감을 주며 고객의 다리를 스트레치 동작을 유도하면서 단축된 박근의 신장을 도모할 수 있다.

2. 치료사는 고객에게 기마자세를 하게 한 후 양손으로 무릎 내측 부위를 고정하게 한 후 양옆으로 다리를 벌리게 유도하며 이때 치료사는 내측 박근 부위에 안정감을 주면서 근육 신장을 안정적으로 유도할 수 있다.

208

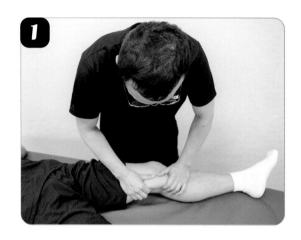

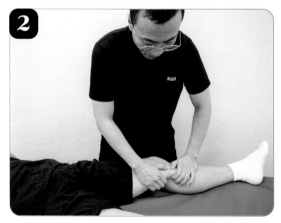

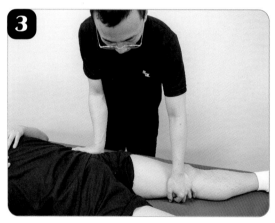

1. 치료사는 무릎관절 내측 부위에 유착된 박근의 근막을 제거하기 위해 박근의 근복을 잡고 들어 올려 준다.

2. 치료사는 무릎관절 내측부위에 붙는 전체적인 근막 유착을 제거할 수 있다.

3. 치료사는 손바닥 장측을 활용하여 아래쪽으로 가벼운 압력을 적용하여 내측으로 과하게 돌아있는 근육의 위치를 수정하는 동시에 근육-근막을 함께 신장 시킬 수 있다.

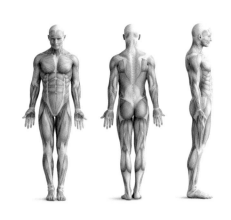

넙다리빗근(봉공근)
Sartorius m.

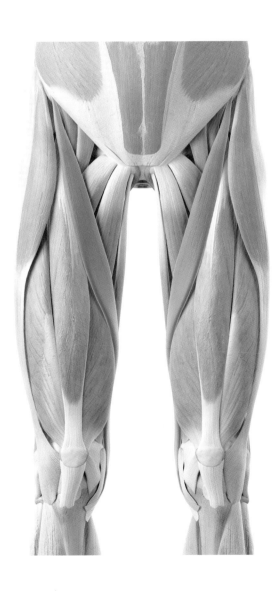

- 넙다리빗근은 넙다리 앞면의 가장 표면을 비스듬히 주행하는 가늘고 긴 근육으로 2관절근이다. 인체에서 가장 긴 근육으로, 30cm를 넘는다.
- 단거리러너는 지면에 착지하는 쪽의 다리근육이 융기되는데, 이때 골반 가쪽부터 무릎 안쪽으로 뻗은 대각선의 가느다란 근육이 넙다리빗근이다.
- 옛이름인 봉공근은 재단사라는 의미가 있으며, 3개의 관절을 통과한다.
- 제기차기 등을 할 때 주로 쓰이며, 양반다리를 하고 앉으면 긴장성이 증가된다.
- 넙다리 안쪽의 동맥 · 정맥의 흐름이 있고, 림프가 있는 곳이기에 순환계통장애에 영향을 준다.
- 넙다리빗근에 이상이 있으면 여성들은 생리 시에 통증이 있을 수 있다.
- 다리 및 무릎의 변형에 관련된 근육이다.

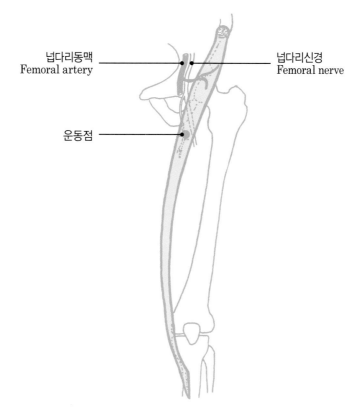

넙다리동맥
Femoral artery

넙다리신경
Femoral nerve

운동점

시작점 위앞엉덩뼈가시

정지점 정강뼈거친면의 안쪽(거위발 형성) [정강뼈 몸쪽부분의 안쪽면에서 합류한다. 넙다
리빗근, 두덩정강근, 반힘줄모양근의 3개로 나누어진 모양을 나타낸다.]

신경지배 넙다리신경(L2~L3)

작 용 • 엉덩관절 굽히기 · 벌리기 · 가쪽돌리기
• 무릎 굽히기 · 안쪽돌리기

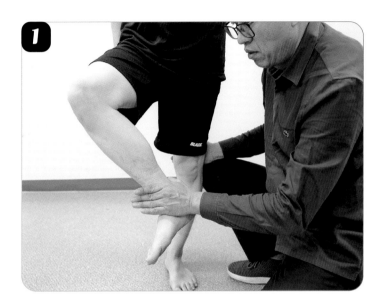

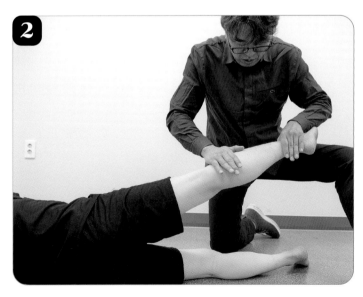

1. 치료사는 고객에게 제기차기 동작을 유도하면서 이에 대하여 저항을 주어 봉공근 강화 운동을 시행할 수 있다.

2. 치료사는 고객을 옆으로 눕게 한 후 다리를 펴게 한 후 고관절 외전 외회전을 유도하고 이에 대하여 저항을 주면서 강화 운동을 시행할 수 있다.

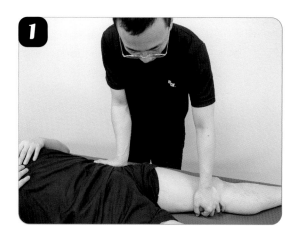

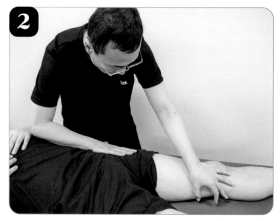

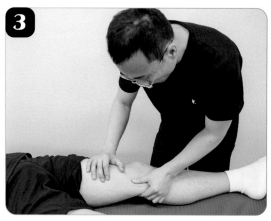

1. 치료사는 무릎 내측을 손바닥 장측으로 압박하면서 봉공근 근육-근막을 신장시켜 준다.

2. 치료사는 ASIS 부위를 한손으로 고정하며 한손은 무릎 내측 내회전 방향을 봉공근 근육을 신장 시켜 줄 수 있다.

3. 치료사는 거위발 부위에 붙는 봉공근 근막의 유착을 제거하기 위하여 근복을 들어서 유착된 근막을 제거할 수 있다.

47

넙다리두갈래근(대퇴이두근)
Biceps femoris m.

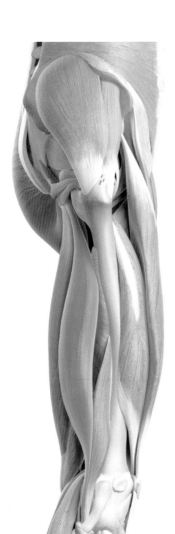

넙다리두갈래근 긴갈래
Biceps femoris m., long head

넙다리두갈래근 짧은갈래
Biceps femoris m., short head

- 넙다리두갈래근 · 반힘줄근(반건형근) · 반막근(반막형근)의 3근육을 합쳐 '햄스트링스'라 한다.
- 넙다리두갈래근은 가쪽햄스트링스라고도 부른다.

- 넙다리두갈래근은 긴갈래와 짧은갈래로 구성된다. 넙다리두갈래근 긴갈래는 대표적인 무릎굽힘근육군(hamstrings)으로, 엉덩관절과 무릎관절의 뒷면을 가로지르는 이관절근이지만, 짧은갈래는 단일관절근육이다.
- 넙다리두갈래근의 먼쪽힘줄이 무릎관절의 굽히기에 저항을 가하면 굽힌 무릎관절의 뒤–가쪽면에서 쉽게 촉진할 수 있다.

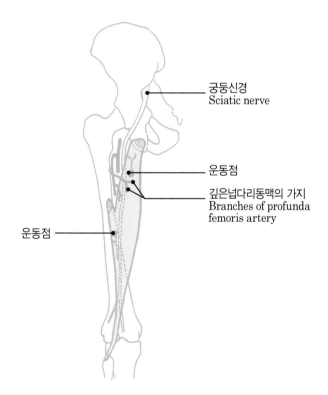

궁둥신경
Sciatic nerve

운동점

깊은넙다리동맥의 가지
Branches of profunda
femoris artery

운동점

| **시작점** | **긴갈래** : 궁둥뼈결절 |
| | **짧은갈래** : 넙다리뼈 거친면 가쪽아래 1/2 |

| **정지점** | 종아리뼈머리, 종아리근막 |

| **신경지배** | **긴갈래** : 정강신경(L5~S2) |
| | **짧은갈래** : 온종아리신경(L4~S1) |

작 용	• 엉덩관절 펴기
	• 골반 뒤기울기
	• 무릎 굽히기 · 가쪽돌리기

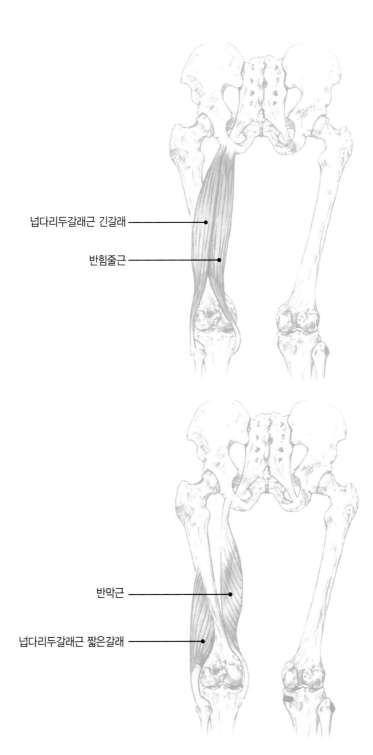

넙다리두갈래근 긴갈래 ——

반힘줄근 ——

반막근 ——

넙다리두갈래근 짧은갈래 ——

216

1. 치료사는 고객의 좌골결절 부위로 가벼운 압박력을 가하여 햄스트링의 근 신장을 유도하면서 고객의 다리를 들어 올리면서 무릎을 펴게 하면서 근육 신장과 동시에 강화 운동을 시행할 수 있다.

2. 치료사는 고객을 엎드려 눕게 하고 무릎을 구부리게 한 후 고객에게 다리를 수직방향으로 들어 올리게 지시한 후 이에 대하여 수직방향으로 압박을 주어 햄스트링을 강하게할 수 있다.

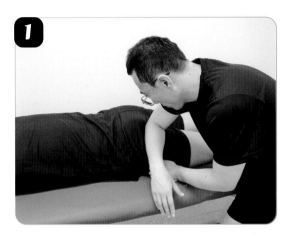

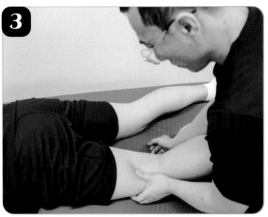

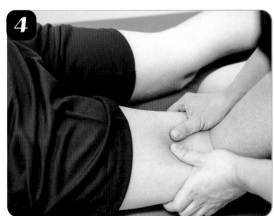

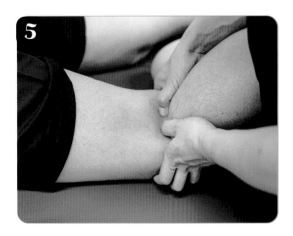

1. 치료사는 고객의 좌골 결절 부위를 주관절을 이용하여 고정하여 좌우로 근육 근막 위치를 조정하는 동시에 근긴장을 완화할 수 있다.

2. 치료사는 엄지를 이용하여 무릎 안쪽 내·외측 부위를 건 부위를 벌려주고 늘려 주어 근긴장을 완화 시키고 근육신장을 유도할 수 있다(이렇게 하면 허리의 긴장이 완화되어 요통을 경감 시키는 효과도 있다).

48

반힘줄 · 반막근(반건 · 반막형근)
Semitendinosus / Semimembranous m.

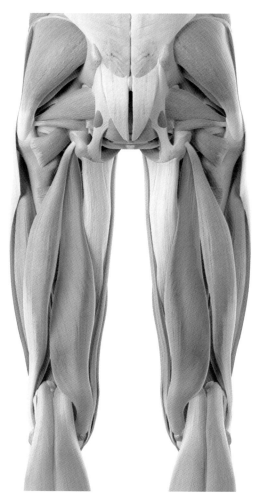

반힘줄근
Semitendinosus m.

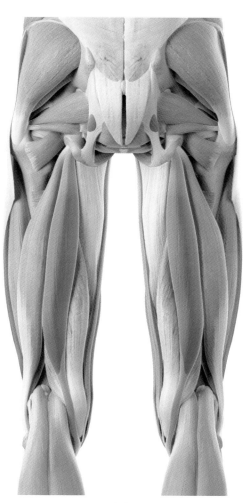

반막근
Semimembranous m.

- 반힘줄근과 반막근을 합쳐 '안쪽햄스트링스'라 한다.
- 반힘줄근은 가늘고 긴 근육으로, 아래쪽 반은 힘줄처럼 되어 있다. 힘줄이 이 근육 전체의 절반 가까이를 차지한다.

- 반힘줄근은 엉덩관절 굽히기, 무릎 굽히기 등과 관련이 있고 엉덩관절의 통증에 영향을 준다.
- 반힘줄근의 힘줄은 띠모양으로, 무릎관절의 뒤쪽-안쪽면에서 쉽게 만질 수 있다. 저항력을 주면서 무릎 관절을 굽히면 보다 쉽게 만질 수 있다.
- 반막근은 반힘줄근을 덮고 있으며, 위쪽 반은 넓은 널힘줄처럼 되어 있다.
- 반막근은 그 이름대로 반힘줄근보다 편평한 모양의 근육이다.

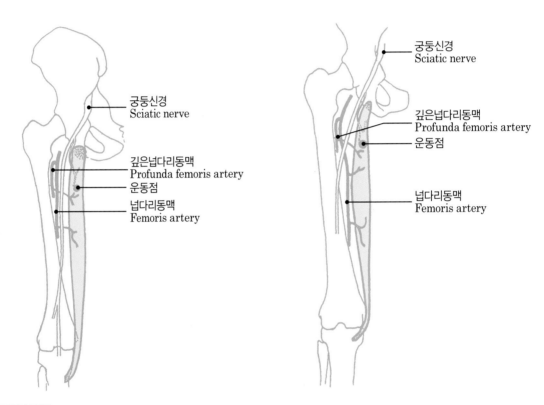

| 시작점 | **반힘줄근** : 궁둥뼈결절 |
| | **반막근** : 궁둥뼈결절의 윗부분과 가쪽면 |

| 정지점 | **반힘줄근** : 정강뼈(거위발)의 몸쪽부분 안쪽면 |
| | **반막근** : 정강뼈 안쪽관절융기 뒷면 |

| 신경지배 | **반힘줄근** : 궁둥신경의 정강가지 |
| | **반막근** : 정강신경(궁둥신경) |

| 작 용 | **반힘줄근** : 엉덩관절 펴기, 골반 뒤기울기, 무릎 굽히기 · 안쪽돌리기 |
| | **반막근** : 엉덩관절 펴기, 골반 뒤기울기, 무릎 굽히기 · 안쪽돌리기 |

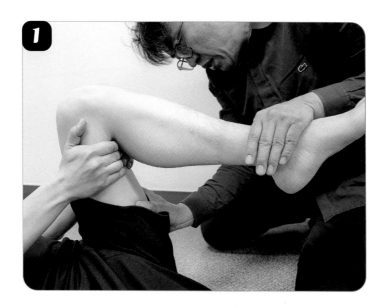

1. 치료사는 반막양근, 반건양근을 촉지하고 고객의 다리를 펴게 함으로써 짧아진 근육의 신장과 선택적 강화 운동을 시행할 수 있다.

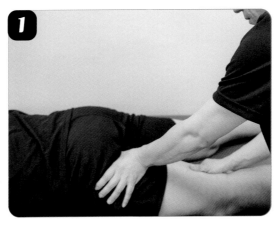

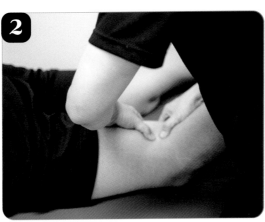

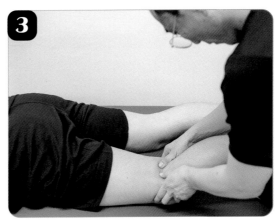

1. 치료사는 무릎 안쪽 내측의 근막을 이완하여 반막양근, 반건양근을 긴장을 완화 시킬 수 있다.

2. 치료사는 단독적으로 반건양근, 반막양근의 힘줄 부위를 가벼운 압박을 가한 후 들어 올려 주어 탄력 도를 회복 시켜 줄 수 있다.

3. 치료사는 햄스트링이 경골과 붙는 곳의 긴장을 완화시켜주어 하지의 신경과 혈액의 흐름을 활성화하 며 통증 완화 및 기능 개선을 유도할 수 있다.

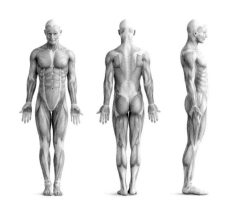

49.

장딴지근(비복근)
Gastrocnemius m.

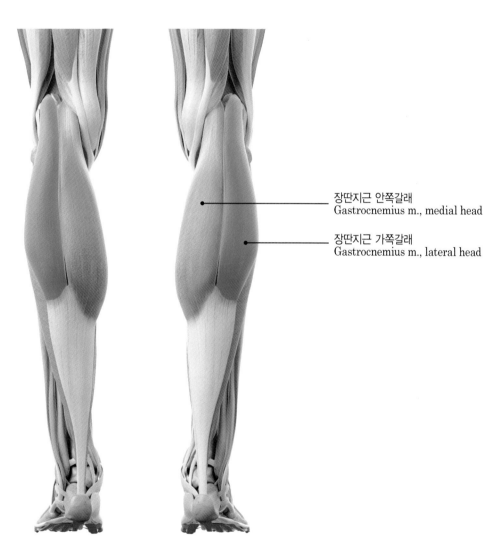

장딴지근 안쪽갈래
Gastrocnemius m., medial head

장딴지근 가쪽갈래
Gastrocnemius m., lateral head

- 장딴지근은 종아리 뒤쪽의 가장 표면에 있는 2관절근으로, 가자미근과 함께 종아리세갈래근(하퇴삼두근)을 구성한다.
- 정맥류와 연관된다.
- 심장으로 올려주는 에너지 근육이다.
- 종아리의 통증과 피로, 혈액순환과 관련이 깊다.

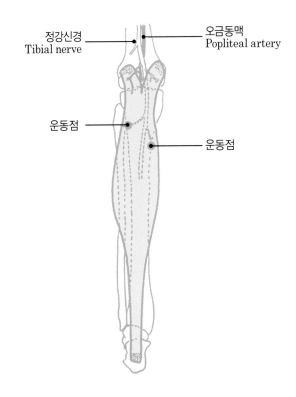

정강신경
Tibial nerve

오금동맥
Popliteal artery

운동점

운동점

시작점	**안쪽갈래** : 넙다리뼈안쪽관절융기의 뒤쪽면
	가쪽갈래 : 넙다리뼈가쪽관절융기의 뒤쪽면

정지점 아킬레스힘줄을 경유하여 발꿈치뼈융기

신경지배 정강신경(L4~S2)

작 용 • 발목 발바닥쪽굽히기
• 무릎 굽히기

재활 근육 운동법

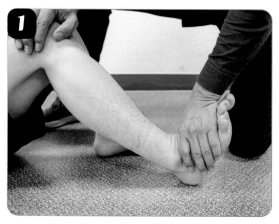

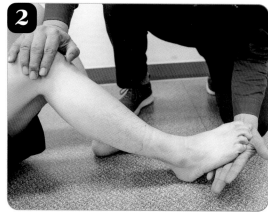

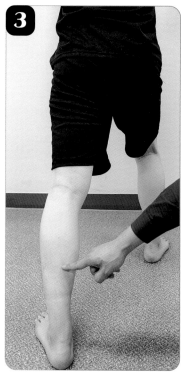

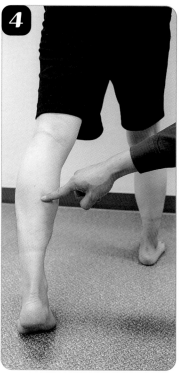

1. 치료사는 고객의 장딴지 근육을 촉지하고 최대 신장을 유도한 후 뒷꿈치를 들어 올렸다 내렸다를 반복하여 근육을 재교육하여 활성화 시킬 수 있다.

2. 치료사는 고객에게 발가락을 구부려 아래로 내려 종아리 근육의 수축을 유도할 수 있다.

3. 치료사는 길항의 관점에서 전경골근 라인의 근육을 활성화하여 종아리 근육의 이완을 유도할 수 있다.

226

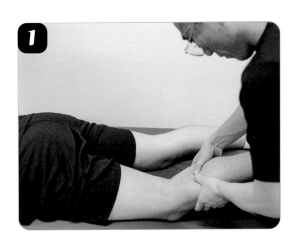
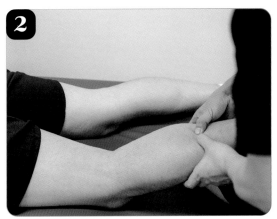
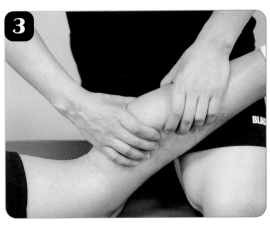
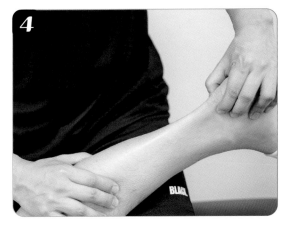

1. 치료사는 고객의 승근혈(경락혈) 자리를 압박하여 종아리 근육의 근 긴장을 완화할 수 있다.

2. 치료사는 고객의 승산혈(경락혈) 부위를 압박하여 종아리 근육의 근 긴장을 완화할 수 이다.

3. 치료사는 고객의 비복근, 가자미근 근복을 함께 잡고 들어 올려 주어 혈액 순환을 촉진할 수 있으며 근육 활동성을 증진 시켜 줄 수 있다.

4. 치료사는 아킬레스건을 압박하여 근신장을 동시에 유도하여 종아리 근육의 길이를 확보하여 기능 개선을 유도할 수 있다.

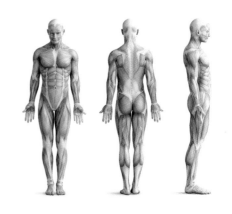

50.

가자미근
Soleus m.

- 가자미근은 장딴지근의 대부분을 덮고 있는 굵고 강한 발바닥쪽굽힘근육이다.

- 발목의 움직임과 발꿈치 통증으로 오는 문제의 중심에 있는 근육이다.

- 성장 포인트이어서 성장기에는 통증이 오기도 한다.

- 무릎통증과 관련이 많다.

- 스키, 하키 등의 운동과 굽이 높은 구두를 장시간 신을 때 통증이 오기 쉽다.

- 족저근막염에 영향을 준다.

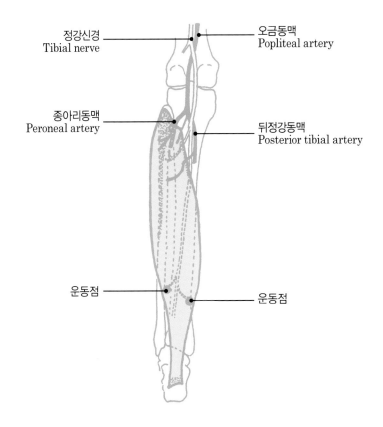

정강신경
Tibial nerve

오금동맥
Popliteal artery

종아리동맥
Peroneal artery

뒤정강동맥
Posterior tibial artery

운동점

운동점

시작점	종아리뼈머리, 정강뼈 뒤쪽면, 종아리뼈와 정강뼈 사이의 가자미근힘줄활
정지점	아킬레스힘줄을 경유하여 발꿈치뼈융기
신경지배	정강신경(L4~S2)
작 용	발목 발바닥쪽굽히기

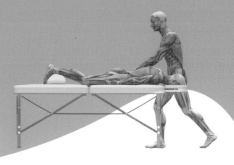

재활 근육 운동법

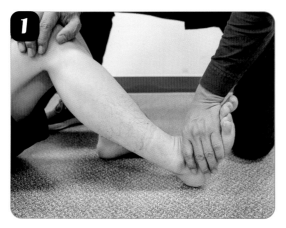

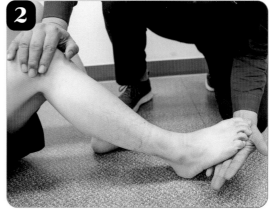

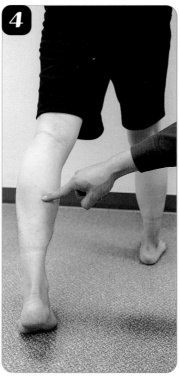

1. 치료사는 고객의 장딴지 근육을 촉지하고 최대 신장을 유도한 후 뒷꿈치를 들어 올렸다 내렸다를 반복하여 근육을 재교육하여 활성화 시킬 수 있다.

2. 치료사는 고객에게 발가락을 구부려 아래로 내려 종아리 근육의 수축을 유도할 수 있다.

3. 치료사는 길항의 관점에서 전경골근 라인의 근육을 활성화하여 종아리 근육의 이완을 유도할 수 있다.

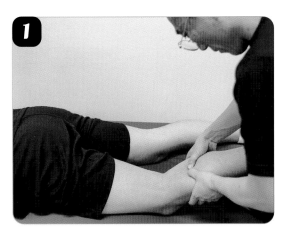
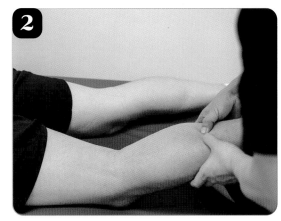
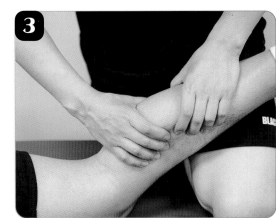
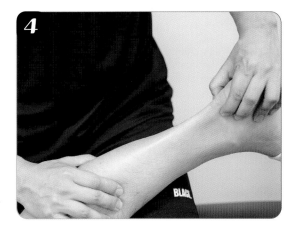

1. 치료사는 고객의 승근혈(경락혈) 자리를 압박하여 종아리 근육의 근 긴장을 완화할 수 있다.

2. 치료사는 고객의 승산혈(경락혈) 부위를 압박하여 종아리 근육의 근 긴장을 완화할 수 있다.

3. 치료사는 고객의 비복근, 가자미근 근복을 함께 잡고 들어 올려 주어 혈액 순환을 촉진할 수 있으며 근육 활동성을 증진 시켜 줄 수 있다.

4. 치료사는 아킬레스건을 압박하여 근신장을 동시에 유도하여 종아리 근육의 길이를 확보하여 기능 개선을 유도할 수 있다.

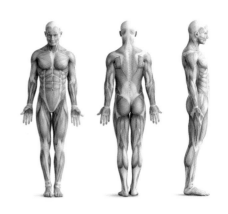

51

앞정강근(전경골근)
Tibialis anterior m.

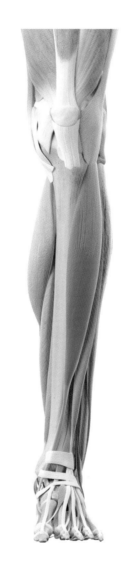

- 앞정강근은 발을 발등쪽으로 굽히는 주동근이다.

- 마주보고 있는 가쪽에서 가장 긴 근육으로, 발목에서는 힘줄로 이어진다.

- 이 근육이 마비되면 꿈치들린휜발(equinus, 첨족)이 된다.

- 이 근육이 약화되면 보행의 유각기에 발처짐(footdrop, 족하수)을 일으킨다.

- 이 근육의 힘줄은 발목 발등쪽굽히기와 뒤치기가 조합된 운동을 할 때 쉽게 촉진할 수 있다.

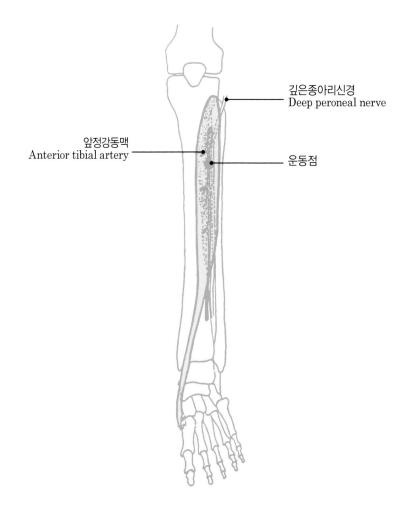

깊은종아리신경
Deep peroneal nerve

앞정강동맥
Anterior tibial artery

운동점

시작점	정강뼈 가쪽면, 종아리뼈사이막
정지점	안쪽쐐기뼈의 안쪽 및 바닥쪽면과 첫째발허리뼈 바닥
신경지배	깊은종아리신경(L4~S1)
작 용	• 발목 발등쪽굽히기 • 발 안쪽번지기 • 발바닥아치 유지

재활 근육 운동법

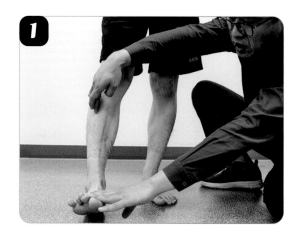

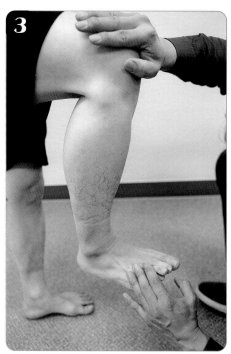

1. 치료사는 고객이 서있는 자세에서 발등을 들어 올리라고 지시한 후 이에 저항을 준다.

2. 이때 엄지발가락에 저항을 주어 선택적으로 강화 운동을 시행할 수 있다.

3. 치료사는 고객의 무릎관절 90도 굴곡 위치에서 고관절 굴곡을 유도하면서 발등에 저항을 주어 전경골근을 강화 시켜 줄 수 있다.

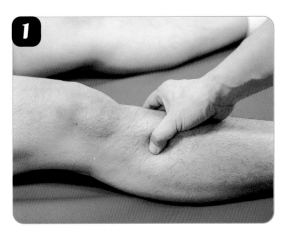

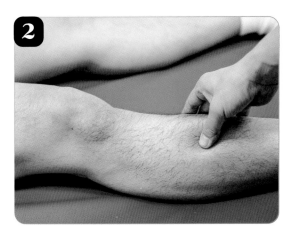

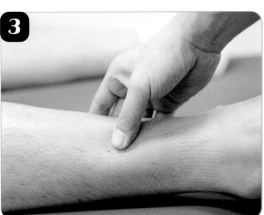

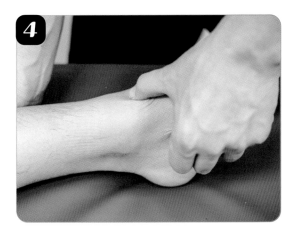

1. 치료사는 전경골근의 경골부위를 압박하여 근긴장을 완화 시켜 줄 수 있다.

2. 치료사는 전경골근의 중간 부위를 압박하면서 경골에 옆라인을 따라 풀어주면서 내려와 전경골근의 수축력 회복하고 혈액 순환, 신경흐름을 촉진 시켜 줄 수 있다.

3. 치료사는 발등에서 발로 넘어가는 전경골근 힘줄 부위를 이완 시켜 기능 개선을 유도할 수 있다.

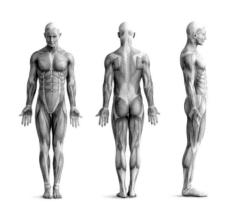

52.

뒤정강근(후경골근)
Tibialis posterior m.

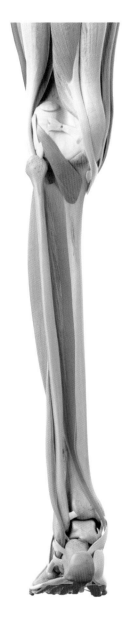
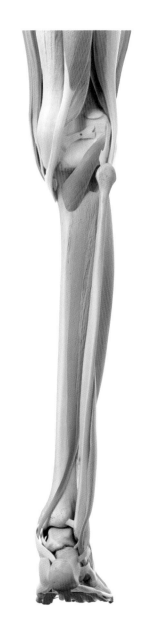

- 뒤정강근은 긴발가락굽힘근과 긴엄지발가락굽힘근 사이의 종아리 뒷면에서 가장 깊은 부위에 있다.

- 이 근육의 윗부분은 깃모양이고, 아랫부분은 반깃모양이다.

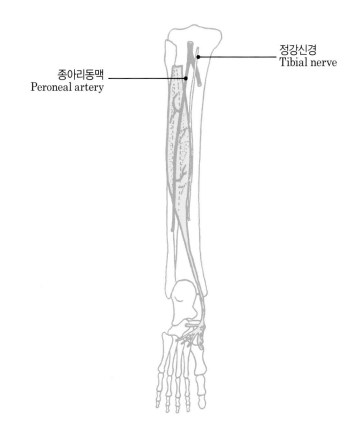

종아리동맥
Peroneal artery

정강신경
Tibial nerve

시작점   정강뼈뒷면과 종아리뼈 안쪽면, 종아리뼈사이막

정지점   발배뼈 거친면, 쐐기뼈 바닥면, 둘째~넷째발허리뼈 바닥면

신경지배   정강신경(L5~S2 : 안쪽 또는 무릎관절로 가는 근육가지)

작 용   • 발목 발바닥쪽굽히기
   • 발 안쪽번지기

재활 근육 운동법

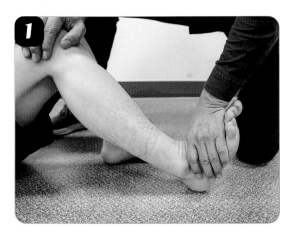

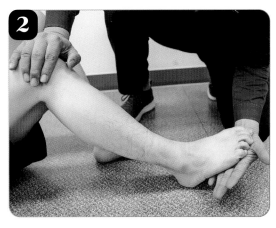

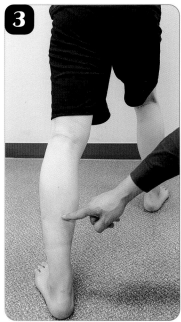

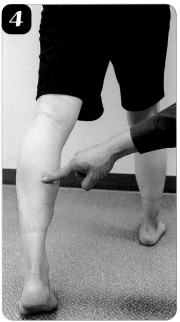

1. 치료사는 고객의 장딴지 근육을 촉지하고 최대 신장을 유도한 후 뒷꿈치를 들어 올렸다 내렸다를 반복하여 근육을 재교육하여 활성화 시킬 수 있다.

2. 치료사는 고객에게 발가락을 구부려 아래로 내려 종아리 근육의 수축을 유도할 수 있다.

3. 치료사는 길항의 관점에서 전경골근 라인의 근육을 활성화하여 종아리 근육의 이완을 유도할 수 있다.

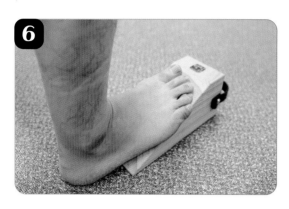

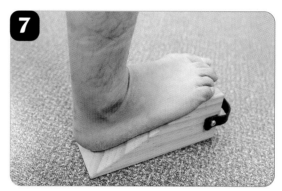

4. 고객에게 발바닥 웨지를 적용하여 단축된 후경골근을 신장 시켜 줄 수 있다.

238

후경골근의 재활 운동을 시켜 주기 위해서 종아리 근육과 앞에 있는 전경골근 라인의 근육을 함께 운동 시켜 주는 것이 중요하다.

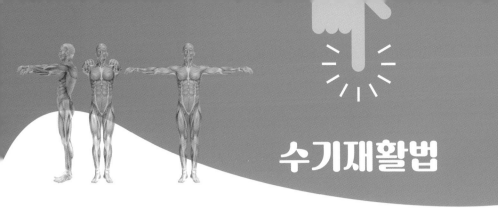

수기재활법

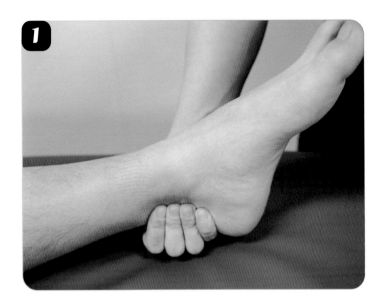

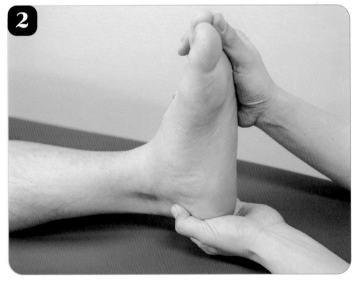

239

52. 뒤정강근(후경골근)

1. 치료사는 아킬레스건 깊숙한 부위의 후경골근에 접근하여 가벼운 압박력을 제공한다.

2. 아킬레스건 주위를 압박하여 구조물이 스스로 이완됨을 느껴주면서 시행한다.

3. 치료사는 아킬레스건을 압박한 후 발등을 들어주는 동작을 함께 유도하면서 후경골근을 근육-근막 신장을 함께 유도할 수 있다.